LA **VIDA** DE TUS **SUEÑOS**

TOMO III

LA VIDA DE TUS SUEÑOS

LOS SUEÑOS SE CUMPLEN

MARÍA
TORRES MOROS

APRENDE A DISFRUTAR DE UNA VIDA PLENA

Título: *La Vida de Tus Sueños*
© 2019, María de los Ángeles Torres Moros

Autoedición y Diseño: 2019, María de los Ángeles Torres Moros
Primera edición: octubre de 2019
ISBN-13: 978-84-09-14025-1
Depósito legal: TF 945-2019

¿Has perdido el entusiasmo por la vida?
¿Dónde quedaron los sueños que tenías de niño/a?
Ha llegado el momento de volver a sentirte ilusionado.

TESTIMONIOS

"Un regalo para tu corazón. María te coge tu mano y te lleva directo a alcanzar todo aquello que en tu vida deseas lograr. Escrito desde el corazón. Te llegará su mensaje de amor. De lectura fresca y agradable. No te dejará indiferente. En cuanto empieces a leer, no podrás parar.Te sumerge en su mundo. Te aporta Felicidad." Gran trabajo María".

Tania Carrillo Arias, autora de la saga:
"El Sol de tu Corazón"

"La Autora te ayudará a que tomes consciencia de cómo estás eligiendo vivir tu vida, que reflexiones, que mires hacia tu mundo interno y puedas replantearte lo que te está limitando realmente para poder dirigirte a tus sueños. Gracias María por colaborar en hacer este mundo un mundo mejor".

Karina Tejada Ibáñez, escritora.

"Gracias María por darme tu mano y guiarme hacia la vida de mis sueños.

De manera sencilla, concisa y con mucho amor has despertado cada parte de mí, encontrando la ilusión y las ganas de ir por todo lo que siempre he deseado."

Verónica Bartolommei.
Autora de la saga: "Secretos en ti interior"

"La vida de tus sueños es un libro que toca el alma desde sus primeras letras. Todos en un momento dado creemos que los sueños deben dejarse para el momento de dormir. Sin embargo, María nos enseña a darnos cuenta que cuando dejamos los sueños de lado es peor que estar dormido, es morirse en vida. Este libro te invita a soñar con los ojos bien despiertos."

Diany Peñaloza: Autora de la trilogía "Los súper poderes de mamá".

"Te introduces en unas páginas llenas de sentido que responden a grandes porqués que continuamente nos planteamos. Aporta ilusión y ayuda para ir quitándote las capas superficiales hasta llegar a lo más profundo de tu corazón. Gracias por permitirme soñar María".

Lourdes Caballero Caro, autora de LA LLAVE DE TU TESORO.

"María a través de sus páginas, te acompaña con toda su autenticidad a recuperar la autoestima que en algún momento estuvo ahí y te da ese ligero empuje que todos en algún momento necesitamos para ir tras nuestros anhelos más profundos".

Michelle Valenzuela, escritora y mentora de vida saludable.

"En estas páginas María te va a enseñar, a que tu niño o niña interior pueda eliminar los miedos que te han limitado. Llegó la hora de que te desprendas de las etiquetas que te adosaron los otros. Para poder cumplir con esos sueños tan preciados, tú momento es ahora"

Noemi Susana Velasco Meana, autora de "En busca de un NUEVO camino"

ÍNDICE

AGRADECIMIENTOS

En primer lugar, quiero agradecerte a ti, querido lector, por confiar en mí y haber adquirido esta trilogía. GRACIAS DE CORAZÓN.

Gracias a mi madre, por darme la vida, por su amor y su apoyo incondicional, eres una super mujer y una madre muy especial.

Gracias también a mi padre puesto que sin él yo ahora no estaría en este mundo. Aunque no estés presente, te perdono y te doy las gracias porque ahora puedo ayudar a muchas personas con mi testimonio.

Gracias a todas las personas que formáis parte de mi vida y de mi corazón, gracias por vuestro apoyo y amor siempre, vosotros sabéis quiénes sois.

Gracias también a todos los que estuvieron en mi vida, pero decidieron seguir otros caminos. Gracias, porque de todos recibí un gran aprendizaje para seguir creciendo.

Gracias a los desamores, las traiciones, los rechazos, porque forman parte de mi enseñanza para hacerme más grande.

Gracias a la fuerza que siempre me acompaña, a Dios, el me guía en mi camino por la vida.

Gracias al mejor mentor que se puede tener, Lain, eres amor, y te amo.

Millones de gracias a todos, OS AMO.

INTRODUCCIÓN

Cuando te despiertas cada mañana, ¿sientes ilusión por la vida o te cuesta pegar un salto de la cama? ¿Vives tus días siguiendo una rutina y te sientes con poca energía? ¿Ves la vida como algo difícil, y en lugar de estar viviendo en ella, estás sobreviviendo como puedes? ¿Has perdido el entusiasmo y la fe por conseguir la vida que tanto soñaste? ¿Te sientes feliz, y sabes sobreponerte cuando llegan los obstáculos o te vienes abajo y te cuesta salir de ellos?

Amado lector, felicidades por llegar a La Vida de tus Sueños. Estás en el lugar y el momento adecuados para cambiar tu vida a mucho mejor, si así lo decides tú.

En este tercer tomo de mi trilogía Los Sueños se Cumplen, te voy a dar respuesta a todas estas preguntas que te he planteado, te voy a guiar a través de mi experiencia y de mi duro trabajo de investigación a que veas tu vida desde otra perspectiva y recuperes ese entusiasmo y esa ilusión por conseguir tus sueños de cuando eras un niño o una niña.

Mi vida, al igual que la tuya, no ha sido fácil.

Desde pequeña fui muy tímida, me sentía muy poca cosa. La ausencia de mi padre fue un lastre a la hora de relacionarme con mis parejas, y mi falta de autoestima me hizo en varias ocasiones cuestionarme el sentido de mi vida.

La vida no podía ser sólo levantarse, desayunar, ir a estudiar o a trabajar, llegar a casa, seguir con las tareas, salir y entrar y llegar a la noche e irte a dormir sin ninguna ilusión.

¿Te ha pasado alguna vez?

¿Has sentido que funcionas de manera automática corriendo de un lado a otro sin saborear tu vida?

A menudo solo valoramos los buenos momentos o las personas que tenemos a nuestro lado, cuando las perdemos, o cuando ese momento tan bonito ya pasó.

Estuve muchos años de mi vida funcionando de manera automática como quizás lo estés haciendo tú. Viviendo deprisa, y siempre intentando ayudar y agradar a los demás dejando de lado a lo más importante, a mí misma.

Si estás leyendo esto, estoy segura de que te sientes identificado en algunos aspectos.

Con las sacudidas que nos da la vida, estuve a punto de cometer una locura, planteándome quitarme lo más preciado que tenemos, la vida.

Pero en los momentos de más dolor, cuando ya has pisado fondo, es cuando renace en ti el poder que siempre ha estado en tu interior.

La vida te exprime para sacarte todo tu jugo.

En ese momento solo te queda volver a levantarte y utilizar ese poder interior a tu favor.

Si te quedas conmigo, te enseñaré a utilizarlo como yo también lo hice para llevarte a la vida que tanto soñaste, a la vida que verdaderamente te mereces.

Estoy emocionada y entusiasmada por poder ayudarte y acompañarte en este viaje.

¡Dame la mano, el camino hacia la Vida de tus Sueños empieza AHORA!

EL VIAJE DE TU VIDA

"Pasamos mucho tiempo ganándonos la vida, pero no el suficiente tiempo viviéndola".

TERESA DE CALCULTA

Amado lector, cuando llegaste a este mundo fuiste como un rayo de luz lleno de amor, que vino a aportar su granito de arena a este Universo del que todos formamos parte.

Fuiste un niño soñador, que se ilusionaba con los pequeños placeres de la vida, no le hacía falta tener grandes cosas para ser feliz porque cualquier artilugio que te encontrabas, lo convertías en un juguete.

Te creaste tu propio mundo imaginario, no existían los problemas para ti, y siempre despertabas con una ilusión.

Tus risas les ganaban a tus llantos, porque cualquier enfado, a la nada se te pasaba, eras capaz de perdonar a todo el mundo.

Pero los años fueron pasando y fuiste creciendo, y con las diferentes etapas de tu vida, te enseñaron que tenías que ser fuerte, que no soñaras con tonterías, que no podías hacer lo que quisieras, que no eras capaz, ... **Te fueron limitando las cosas que podías y no podías hacer, te pusieron etiquetas, y tú te las creíste.**

Así que te pusiste el disfraz de adulto que ahora llevas cada día. Le fuiste poniendo capas a tu corazón lleno de amor, y empezaste a mirar el mundo con otros ojos, con temor, desconfianza, preocupación.

Ahora con el disfraz de personaje de adulto, has dejado lejos al niño que fuiste y que eres, aunque te olvides por momentos.

Vives cada día preocupado por todos los que te rodean y sobre todo por los que más quieres, entregándote por completo, y dejándote más de lado a ti.

Has perdido por momentos la fe, cuando se te ha presentado una situación dura.

Si de niño te ilusionabas con todo, ahora te quejas la mayoría del tiempo.

¿Te has dado cuenta de esto?

Y lo gracioso es que cuando te quejas, la vida te da más motivos para quejarte y no termina la ruleta nunca de girar.

Te han enseñado a sobrevivir como puedas y no a trabajar en ti para conseguir que tus sueños te alcancen.

Tus sueños llevan toda una vida esperándote.

Vives inmerso en una rutina que te ha llevado a sentir estrés cada día, porque quieres abarcarlo todo, sin pararte a observar cómo te sientes tú.

Si sigues viviendo apresurado, preocupado, temeroso, ansioso, no verás la magia que la vida es. La magia que trajiste tú cuando viniste a este mundo, pero que olvidaste cuando fuiste creciendo.

¿Quieres cambiar algo de tu vida?

Es el momento de despertar a ese niño o esa niña que eres, y que está en tu interior.

Empieza a soñar, a ver la vida como un juego donde tienes que ir superando pruebas que te van a llevar a la siguiente y así sucesivamente.

Cada prueba superada, obtienes más puntuación para que tus sueños te alcancen.

Y si no pasas una prueba, te quedas estancado y no pasas de nivel, tienes que volver a repetirla hasta que aprendas.

CONÉCTATE CON EL AMOR QUE ERES, Y DEJA ATRÁS LOS MIEDOS QUE TE LIMITAN.

Vive tu vida ahora, no te centres en el ayer que no existe y te genera depresión o en el mañana que no ha llegado y te genera ansiedad.

Vive el momento, vive tus días, con agradecimiento por cada nuevo despertar que es un regalo, perdona a los que alguna vez te hirieron para que viajes libre de cargas, y amanece con una ilusión, que será el motor de tu alegría y de tu entusiasmo.

La vida de tus sueños te espera, en cuanto empieces a creer en ella.

Acompáñame, estaré encantada de guiarte...

RECUERDA:

♡ Te fueron limitando las cosas que podías y no podías hacer, te pusieron etiquetas, y tú te las creíste.

♡ Ahora con el disfraz de personaje de adulto, has dejado lejos al niño que fuiste y que eres

♡ Si de niño te ilusionabas con todo, ahora te quejas la mayoría del tiempo.

♡ Te han enseñado a sobrevivir como puedas y no a trabajar en ti para conseguir que tus sueños te alcancen.

♡ Es el momento de despertar a ese niño o esa niña que eres, y que está en tu interior.

♡ Empieza a soñar, a ver la vida como un juego donde tienes que ir superando pruebas.

♡ CONÉCTATE CON EL AMOR QUE ERES, Y DEJA ATRÁS LOS MIEDOS QUE TE LIMITAN.

AMANECE CON UNA ILUSIÓN

Cada amanecer, es una nueva oportunidad que te regala la vida.

No importa lo que hayas sufrido, o si estás pasando por una situación difícil ahora, porque ya has superado muchos obstáculos en tu vida, te has caído, y te has vuelto a levantar una y otra vez y cada vez más fortalecido.

La vida te hace más fuerte, te hace más valiente, no te desesperes si hoy estás pasando por un mal momento, porque todo es pasajero, el dolor no dura eternamente...

Cuando ves por todo lo que has pasado y todo lo que has logrado, te das cuenta de que todo ha acontecido de la forma correcta, aunque muchas veces te duela bastante, y no lo entiendas.

¿Cómo te despiertas cada mañana?

¿Sientes que en tu vida falta algo? ¿Qué pasó con aquel niño soñador ilusionado con las pequeñas cosas de la vida?

Cada obstáculo por el camino, cada prueba que superas te acerca más hacia la vida de tus sueños, si tienes fe y no te quedas estancado en el sufrimiento.

Es normal que expreses tu dolor, es necesario que liberes las emociones, porque si las dejas dentro, acaban por enfermarte.

Llora cuando así lo sientas, pero no permitas que tu llanto se adueñe de tus días.

Cada despertar, cada amanecer es una nueva oportunidad que Dios te regala para que vayas a por tus sueños y los hagas realidad.

Puede que en tu trabajo no te sientas bien, que no sea el que te gustaría y estás ahí porque necesitas el dinero.

Puede que tu salud haya empeorado, que estés pasando por una enfermedad.

Puede que acabes de pasar por una ruptura, o divorcio doloroso o una pérdida de algún ser querido.

Pero te digo algo, amado lector, eres capaz con la fuerza de tu interior, de ver todas estas situaciones con otras gafas, desde otra perspectiva.

Tira esas gafas que te dicen que no puedes más, tira esas gafas que te impiden ver la luz que hay en ti, tira esas gafas que no te dejan levantarte.

Ponte las gafas de la fe, las gafas que ven un nuevo amanecer mucho más brillante y hermoso, las gafas de la esperanza y el amor verdadero.

Estuve muchos años intentando encontrarle el sentido a mi vida.

Había entrado en un laberinto donde no veía la salida, estaba perdida.

Viví unas relaciones de pareja donde cada vez me sentía menos amada y valorada y mucho más pequeñita.

Y ¿sabes qué? TODO ERA PRODUCTO DE MI MENTE.

Todas esas situaciones de mi vida las había creado yo, porque no me amaba como ahora lo hago.

¿Te ha pasado algo parecido?

A menudo, te preguntas ¿POR QUÉ TODO ME PASA A MÍ?

Y cuando te haces esta pregunta, vuelven a pasarte más situaciones parecidas, y vuelves a preguntarte lo mismo.

SIEMPRE ME PASA LO MISMO, ¿POR QUÉ? ¿QUÉ HE HECHO MAL EN MI VIDA?

¿Verdad que alguna vez te has hecho estas preguntas?

Suele pasar que siempre buscamos fuera la respuesta a lo que nos ocurre.

Sin embargo, a muy poca gente se le ocurre mirar hacia dentro. HACIA SU INTERIOR.

No te has parado a pensar, por qué repites siempre lo mismo.

La vida te va poniendo a prueba, quiere que superes los exámenes que te va poniendo por el camino, y si no los apruebas, los vuelves a repetir hasta que los superes y aprendas la lección.

¿Qué ocurre muchas veces?

Te lamentas, echas la culpa al otro, a la vida, al entorno, al gobierno, a Dios, al Universo, todos tienen la culpa, menos tú.

En ese estado de pobre de mí, solo ves la vida y tus días como una tarea difícil, como una lucha continua y de ahí es difícil que salgas con esa actitud.

Sin embargo, párate un momento a pensar, ¿cómo estás pensando tú normalmente? ¿qué pensamientos te vienen a la mente? ¿qué ves en la televisión o escuchas en la radio o ves en las redes sociales? ¿con quién te relacionas y de qué hablas con estas personas?

Los pensamientos que tengas determinarán la realidad que tengas.

Y la forma de pensar en tu pasado, te ha llevado a esta situación por la que estás pasando.

Puede dolerte lo que te estoy diciendo, pero solo quiero ayudarte.

Hasta que no te haces responsable de tu vida, hasta que dejes de mirar lo externo y dejes de culpar a los demás, tu vida va a seguir tal y como está.

Nada va a cambiar, si tú no cambias.

Y el cambio nace de tu interior, de tu transformación, de convertirte en la mariposa que tiene alas para volar hacia sus sueños.

Cuando te transformas en mariposa, dejas atrás la vida que no te gusta, tienes alas para sobrevolar cualquier situación dolorosa, y vas a por tus sueños como cuando eras niño.

Porque ¿sabes qué? **TIENES MAGIA EN TU INTERIOR**.

No tienes que creerte nada de lo que te estoy diciendo, pero no pierdes nada haciéndolo, lo único que harás es ganar.

Siempre puedes quedarte donde estás, pero ¿y si funciona? Pero tienes que hacerlo con fe, como si fuese cuestión de vida o muerte.

¿Y si pudieras ver la vida con fe y sabiendo que cada obstáculo que superas es un paso más hacia la vida que tanto soñaste?

Si yo no hubiese tenido fe, ahora mismo no estarías leyendo esta trilogía, porque antes de empezar a escribirla, mi vida se había desmoronado.

Seis meses antes había conocido a un chico extraordinario, empezamos a salir, y él se mudó a vivir conmigo.

Fue un viaje lleno de obstáculos, cruzamos el océano en barco, ya que veníamos con su coche y sus animales.

Construimos un hogar donde teníamos por cumplir muchos sueños, y cuando parece que en la vida todo te va genial y sobre ruedas, te viene otra gran sacudida.

Justo antes de empezar a escribir mi trilogía nuestra relación se terminó, sin tener nadie culpa, pero siendo ambos responsables.

Él no podía amarme y yo no me amaba a mí misma.

Como ves, atraes a las personas por como eres y como te ves a ti mismo, no por lo que quieres.

Si no te amas, no te valoras y no te respetas, vas a atraer a personas que tampoco lo harán.

Por esta razón, no puedes culpar al otro, mira hacia dentro, ¿te amas? ¿cuánto te amas?

Puede que hayas pasado por una situación parecida, así estuve desde la adolescencia, atrayendo personas y circunstancias que yo había creado, por no quererme y por hacerle caso a mi mente.

Tu mente te va a llevar siempre a que no hagas nada de lo que ella no conozca.

Te va a convencer para que te quedes en ese trabajo que no te gusta, para que enfermes y te justifiques en que todo te pasa a ti. Te va a convencer para que te quedes en esa relación que no te satisface, y en la que no te encuentras valorado.

Sé que lo pasas mal cuando tus circunstancias son dolorosas, también lo pasé mal con esta ruptura, pero no permití que el llanto se adueñara de mis días.

Las lágrimas son sanadoras, y lloré un día, pero al día siguiente, tomé conciencia y le dije a la mente: **ESTA VEZ NO ME VAS A FRENAR, ESTA VEZ GANO YO, ES CUESTIÓN DE VIDA O MUERTE**. Y convencí a mi mente, le gané ese pulso de nuevo.

Utilicé ese dolor como inspiración, y lo convertí en una trilogía repleta de amor para ayudarte a ti también a levantarte una vez más.

Es necesario que te caigas, para que te vuelvas a levantar, pero es necesario que de esa caída aprendas la lección, para no volver a tropezar.

Tropezarás con otras situaciones, pero no con la misma.

Todo lo que te ha pasado en tu vida es para que aprendas.

Y **la forma en la que te haces más grande, es a través del dolor.**

Los momentos de mayor dolor pueden sacar lo mejor de ti si tú se lo permites.

Si quieres quedarte sufriendo y lamentándote de tu vida puedes hacerlo, pero tú eliges, ¿decides estar sufriendo o decides ver la magia detrás de cada sufrimiento?

La magia está en todas partes, si eliges ver la vida así.

De ti depende. Las situaciones límite te exprimen como se exprime un limón para hacer limonada. A simple vista si coges un limón pues no lo saboreas, pero si lo cortas y lo exprimes, puedes saborear una deliciosa limonada.

A veces es necesario que te exprima la vida para que saques todo tu potencial, toda esa fuerza que tienes en tu interior capaz de hacer magia.

¿Cómo puedes despertarte con una ilusión si lo estás pasando ahora mal?

Primero, sé consciente de que **todo lo que te ha pasado en tu vida es por tu bien.** Si miras atrás, podrás comprobar cómo te ha ido llevando la vida de la mano hacia situaciones que tenías que vivir y que te han hecho más grande.

Segundo, **despiértate queriendo conseguir resultados diferentes.** Para ello ante una situación parecida en tu vida actúa de diferente forma. Si estás acostumbrado a venirte abajo en momentos difíciles, prueba a eliminar cada pensamiento negativo por otro positivo.

En lugar de decir, todo me pasa a mí, sustitúyelo por: Esta situación está aquí para enseñarme algo.

Tercero, **levántate cada mañana con un propósito. Todos tenemos una misión en la vida.**

Cuando eras pequeño, lo sabías, sabías qué querías ser cuando fueses mayor, pero ahora te has olvidado de ese niño que todos llevamos dentro.

Habla con tu niño interior, él te va a dar la respuesta de tu misión en la vida.

¿Qué sabes hacer mejor? ¿Qué te apasiona más en la vida? ¿eso que sabes hacer mejor, puede ayudar a más personas?

Cuando contestes a estas preguntas, encontrarás tu propósito en la vida.

Si todos hiciéramos caso de los sueños que teníamos o de lo que nos gustaría hacer en nuestra vida, te levantarías cada mañana con la misma ilusión de un niño soñador, sin tantas preocupaciones, y sin ese traje que nos hemos puesto de adultos.

¿Quién ha dicho que al ser adultos ya no puedes tener sueños y cumplirlos?

¿Por qué te conformas con la vida que tienes? ¿piensas que es lo que te ha tocado?

Siento mucho decirte que puedes y tienes el poder de cambiar tu vida.

Pero claro, esto no ocurre de la noche a la mañana.

Requiere mucho esfuerzo y que dejes de hacer lo que hasta ahora venías haciendo.

Todo el mundo le gusta tener una vida cómoda, donde puedan disfrutar tanto en el área del amor, la salud y el dinero, pero no están dispuestos a hacer cosas diferentes y esforzarse para conseguirla.

Es más fácil, culpar a los demás de la vida "que te ha tocado".

Y me dirás, si yo soy muy trabajador, pero el gobierno...

Si yo soy muy buena persona, pero los demás...

Si yo no quiero ponerme enfermo, pero todo me pasa...

Amado lector, no es suficiente eso, quiero ayudarte.

Hace unos años yo estaba así, no tenía ilusión por levantarme, me gustaba dormir, ver la televisión, estudiaba, entraba y salía con amigos y amigas, me relacionaba, pero mi vida se había convertido en una rutina, y no me satisfacía.

¿Te gusta como está tu vida ahora?

Si es así, te felicito. Pero te pido que cuando vayas a dormir, seas sincero contigo mismo, ¿todo está bien en tu vida?

¿Qué te impide tener la vida que tanto soñaste?

A menudo, tú mismo te limitas diciendo "es lo que hay", "no puedo cambiar de trabajo", "yo tengo ya una edad", o "mi forma de vida no me lo permite", o "no tengo dinero".

¿Qué estás haciendo tú para cambiar todo eso? Sé sincero.

¿Crees que estás haciendo todo lo que hace falta?

Amado lector, si me acompañas te voy a guiar para que veas la vida desde otra perspectiva, pero no será suficiente, porque tendrás que actuar de manera distinta a como actúas ahora.

Empieza por vigilar cada pensamiento, cada palabra que sale de tu boca y selecciona la información que recibes de fuera.

Puedes hacerle frente a cualquier problema que tengas ahora, si cambias tu actitud ante la vida.

Todo lo que tienes en tu vida, es un reflejo de tu interior.

ÁMATE, ERES AMOR, Y EL AMOR ES LA MAYOR FUERZA CAPAZ DE CREAR LA VIDA DE TUS SUEÑOS.

Amanece cada día con una ilusión, la vida es una gran maestra, solo quiere que aprendas, y cuando aprendas la lección, te dará lo que tanto soñaste.

Cada nuevo amanecer, es una nueva oportunidad.

HAZ ESTO PARA QUE TUS DÍAS SE ILUMINEN

¿Qué ocurre cuando tienes un día de los que no tienes mucha fuerza para levantarte de la cama?

No te preocupes, todos los días no tienes que estar eufórico ni tampoco deprimido, tienes que intentar llegar a un término medio.

Te voy a dar una serie de pautas que te ayudarán a empezar con más fuerza e ilusión cada día.

- ☺ Al despertarte, hidrátate, bebe agua para que se limpie tu organismo.

- ☺ Agradece un día más que te regala la vida. Agradece todo lo que ya tienes en tu vida y deja de enfocarte en lo que te falta.

- ☺ Hazte una imagen de cómo quieres que sea tu día, centrándote en los aspectos positivos, si te viene un pensamiento negativo, lo sustituyes por otro positivo. Como empieces tu mañana determinará cómo será el resto del día.

- ☺ Haz algo de ejercicio, camina, sal a correr, dedica una parte de tu día al ejercicio, pero por la mañana es muy importante para activarte y subir tu energía, ya que el deporte libera endorfinas, la hormona de la felicidad.

☺ Ponte música alegre, baila, salta, canta, compórtate como el niño que era y eres.

☺ Toma un desayuno saludable, que será el motor de tu día.

☺ No pongas la televisión ni las noticias a primera hora, porque lo que veas se quedará grabado en ti a lo largo del día.

☺ Selecciona lo que ves y lees por la mañana.

☺ Sal a la calle con una sonrisa, y sé amable siempre, no sabes si la persona con la que te cruces está pasando otra dura batalla como tú. Reacciona siempre como a ti te gustaría que hicieran contigo.

☺ Aprecia lo bonito de las pequeñas cosas, mira el cielo, el paisaje, fíjate en los anuncios, carteles y nombres de los comercios, vas a encontrar mensajes bellos por todas partes.

☺ Mantén una actitud alegre y entusiasta, es la prueba de que tienes la confianza en que todo pasa, todo se transforma y todo lo bueno llega.

¿QUÉ PASARÍA SI HOY FUERA EL ÚLTIMO DÍA DE TU VIDA?

Si te dijera que hoy es el último día de tu vida, ¿te quedarías ahí sin hacer nada? ¿te costaría levantarte de la cama sin ninguna ilusión? ¿qué harías para aprovechar al máximo este último día que te regala la vida? ¿A quién llamarías para pedirle perdón o perdonar? ¿A quién le dirías te quiero?

Amado lector, no permitas estar en una situación límite para reaccionar, y aprovechar cada día de tu vida.

A menudo hasta que no nos sacude la vida, no nos damos cuenta de lo que tenemos, ni del potencial que poseemos y que está ahí para que lo utilicemos a nuestro favor.

Estoy segura de que no te quedarías sin hacer nada si supieras que hoy es el día de tu partida.

¿Qué sueños tienes por cumplir? ¿Qué haces ahí parado sin ir a por ellos?

Te crees que tienes tiempo, pero lo único que tienes es este momento presente. Deja de quejarte, dejar de enfocarte en lo que te falta en tu vida, en ti lo tienes todo, pero como solo miras el exterior te pierdes la belleza y la magia que hay en tu interior.

Apaga la televisión y haz que cada momento de tu vida cuente, que cuando llegue el momento de irte, estés orgulloso de que nunca te rendiste, que no te quedaste de brazos cruzados a que llegara un milagro, sino que fuiste tú el que hizo posible ese milagro.

Porque tú puedes crear lo que quieras en tu vida. No son las circunstancias las que te definen, sino eres tú quien crea esas circunstancias, porque te enseñaron a que no eras capaz, a que no podías hacer lo que quisieras y te fueron matando tus sueños.

¿Te sientes agradecido por la gran bendición que es la vida?

Entonces, ¿qué haces ahí sin hacer nada?

El trabajo, la salud y la familia que sueñas te llevan esperando toda tu vida, pero estás tan entretenido viendo la televisión o durmiendo, o quejándote de tu vida, que te has olvidado de lo más importante, ¡¡¡¡de ti!!!!

Agradece cada día y disfruta de las pequeñas cosas, de lo que ya tienes, para que el Universo te pueda entregar regalos mayores.

Esta es la clave, el agradecimiento, porque casi siempre estás enfocado en lo que te falta, y no puedes disfrutar de lo que la vida ya te ha entregado.

Muchas veces habrás recordado algún momento bonito con nostalgia y te habrás preguntado ¿Por qué no pude disfrutar de aquel momento como se merecía?

A pesar del problema que tengas, tienes que mirar siempre hacia delante, acepta cada situación, y no huyas de ella, aprende lo que la vida trata de enseñarte con cada prueba y mira tu vida desde otro punto de vista, sobrevuela las situaciones de tu vida, para tener otra perspectiva.

Aprende a sobrevolar cualquier problema, verlo desde arriba.

Acompáñame y te lo muestro …

RESUMEN:

♡ La vida te hace fuerte, te hace valiente, no te desesperes si hoy estás pasando por un mal momento, porque todo es pasajero, el dolor no dura eternamente...

♡ Cada obstáculo por el camino, cada prueba que superas te acerca más hacia la vida de tus sueños, si tienes fe y no te quedas estancado en el sufrimiento.

♡ Cada despertar, cada amanecer es una nueva oportunidad que Dios te regala para que vayas a por tus sueños y los hagas realidad.

♡ La vida te va poniendo a prueba, quiere que superes los exámenes que te va poniendo por el camino, y si no los apruebas, los vuelves a repetir hasta que los superes y aprendas la lección.

♡ Hasta que no te haces responsable de tu vida, hasta que dejes de mirar lo externo y dejes de culpar a los demás, tu vida va a seguir tal y como está.

♡ Nada va a cambiar, si tú no cambias.

♡ TIENES MAGIA EN TU INTERIOR.

♡ Tu mente te va a llevar siempre a que no hagas nada de lo que ella no conozca.

♡ La forma en la que te haces más grande, es a través del dolor.

♡ Los momentos de mayor dolor pueden sacar lo mejor de ti si tú se lo permites.

♡ La magia está en todas partes, si eliges ver la vida así.

♡ A veces es necesario, que te exprima la vida para que saques todo tu potencial, toda esa fuerza que tienes en tu interior capaz de hacer magia.

♡ Todo lo que te ha pasado en tu vida es por tu bien.

♡ Despiértate queriendo conseguir resultados diferentes

♡ Levántate cada mañana con un propósito. Todos tenemos una misión en la vida.

♡ Empieza por vigilar cada pensamiento, cada palabra que sale de tu boca y selecciona la información que recibes de fuera.

♡ Todo lo que tienes en tu vida, es un reflejo de tu interior.

♡ Agradece cada día y disfruta de las pequeñas cosas, para que el Universo te pueda entregar regalos mayores.

SOBREVUELA TUS PROBLEMAS

"Evitando tus problemas que necesitas enfrentar, evitas la vida que necesitas vivir".

PAULO COELHO

VUELA COMO UNA MARIPOSA, Y NO TE ARRASTRES CON TUS PROBLEMAS COMO UNA ORUGA. ¿Qué está mal en tu vida ahora y que tú pienses que es imposible solucionar?

¿Qué problemas tienes que no tengan solución?

Amado lector, como dice el refrán y como le escucho a mi madre con frecuencia, "todo tiene solución, menos la muerte".

Claro, si estás pasando por una situación difícil, como yo también la he pasado, no hay palabras de aliento, porque ahora lo ves todo oscuro, pero tú eres capaz de iluminar esa oscuridad. Créetelo porque eres luz.

Parece como si tu mundo se volviera oscuro, como si no te quedaran fuerzas, como si cada día fuese una dura lucha con la vida.

Tengo que darte una buena noticia, **TODOS TUS PROBLEMAS TIENEN SOLUCIÓN.**

El problema reside en los límites de tu mente.

Tu mente es la mayor creadora de problemas en tu vida, y te convence de una forma en la cual la acabas creyendo, por eso ahora estás en esta situación que estás viviendo.

Muchas de las situaciones dolorosas que has vivido, algunas ni llegaron a ocurrir, y otras las magnificó tu mente.

La mente trata de mantenerte donde ella conoce, en tu zona de comodidad, igual que una madre que sobreprotege a su hijo, aunque tenga 30 años, pero para ella siempre es su niño.

La mente mata los sueños que tenías de niño, porque ella se basa en la razón, y los sueños son una ilusión. Y claro, de ilusiones no puedes vivir, te dice tu mente, y lo más gracioso es que llevas toda tu vida haciéndole caso, y viviendo quizás una vida en la que no estás satisfecho completamente.

O puede que tu mente te haya convencido en que lo tienes todo, pero si escuchas a tu corazón, a los sueños que tenías de niño, este no se equivoca.

Cada noche cuando te vas a dormir, ¿cómo te sientes? Esta es la prueba de tu felicidad y de tu entusiasmo.

¿Agradeces porque vives la vida de tus sueños? **Dormir con la satisfacción de que estás viviendo escuchando a tu corazón y siéndole fiel, te da una paz inmensa.**

¿Cómo lo consigues?

DEJANDO DE QUEJARTE POR TODO.

Cuando dejas de quejarte, ves todo lo bueno que tienes en tu vida, y entonces, empiezas a agradecer. Es en este momento donde ocurre la magia.

A menudo escucho a personas quejándose de que no hay dinero, de que todo va muy mal, de los enfermos que están, de las relaciones que ya no son lo que eran, etc.

Solo hacen eso, hablar y quejarse.

¿Y tú qué haces, agradeces o te quejas?

Si pudieras estar un día entero sin quejarte, y si pudieras estar una semana sin quejarte, verías cómo tu vida va cogiendo otro color.

Sé que se te presentan, al igual que a mí, situaciones difíciles de llevar, pero tienes **dos opciones para reaccionar ante el dolor**:

- Aceptar esa situación y saber que es pasajera, y que de ella saldrás más fortalecido.

- Quejarte y no hacer nada, y decir que todo te pasa a ti, sin aprender nada de esa experiencia.

Si eliges la segunda, ahí estarás toda tu vida, porque el Universo escucha lo que dices, y si crees que tu vida es complicada, que todo te pasa a ti, pues eso recibirás. Y seguirás diciendo que todo te pasa a ti, y que con la fe no consigues nada porque no existe ni Dios ni Universo. Te entiendo porque así estuve varios años, y ¿sabes de que me sirvió? DE NADA, de cada vez me sentía peor, hasta que me hice responsable de mi vida, y ahí todo cambió.

Si aceptas las situaciones que se te presentan en la vida, aunque sean dolorosas y ves qué te quiere decir la vida, sobrevuelas tus circunstancias, te haces mayor que ellas, y cuando las superas sales más fortalecido. Entonces, el Universo ve que has aprendido y que eres agradecido, y te recompensa.

Todo es pasajero, ni la euforia ni el dolor duran eternamente.

Si ante los momentos de mayor dolor, mantienes una actitud positiva y esperando el milagro, esa situación se transformará.

Ahora me dirás que todas las personas no son así de fuertes.

Eso es un límite que estás poniendo tú.

Tú tienes un enorme poder en tu interior, solo que no lo sabes utilizar, porque ante el dolor, te vienes abajo preguntado por qué a ti, y sin darte cuenta, que la respuesta la tienes dentro de ti.

Cuando se te presente una situación dolorosa, es normal que expreses tus emociones, y es necesario. No puedes guardártelas dentro y acumularlas para luego explosionar como una bomba.

Pero una vez llores, grites, y hagas lo que tengas que hacer, observa cada situación desde fuera.

Pregúntate, ¿cómo puedo solucionar este problema o esta situación?

Si eres consciente de todo el poder que tienes dentro, y que lo habrás comprobado con esta trilogía, **serás capaz de encontrar la respuesta en tu interior.**

Escucha a tu corazón, él conoce todas las respuestas a tus preguntas.

Pide alguna señal al Universo, ya sabes que están por todos lados, y te las puedes encontrar de cualquier forma, y cuando te las encuentres, actúa como te dicte tu corazón.

Cuando te subes a un avión, lo primero que te dicen es que en caso de despresurización de la cabina te pongas la mascarilla de oxígeno tú primero y después se lo pongas a la otra persona.

Con esto te quiero decir, aunque siempre te va a afectar lo que le ocurra a tus familiares o personas cercanas, porque todos estamos conectados, primero tienes que salvarte tú. Te tienes que poner por encima de esa situación y mantener una actitud positiva para poder contagiársela a la otra persona.

Imagínate una situación dolorosa, llora el otro, lloras tú y todos lloran, pero tiene que haber alguien que actúe diferente y trate de llevar ese dolor desde otra perspectiva, y desde la esperanza y la fe, porque de lo contrario, esa situación irá empeorando.

La diferencia en las personas no está en cuando las cosas van bien, la diferencia se encuentra en cuando las cosas no están bien, cómo eres capaz de reaccionar ante esa situación.

Volviendo a mi ejemplo, cuando mi pareja decidió seguir otro camino antes de empezar a escribir esta trilogía, muchas personas se hubieran desmoronado y les hubiera costado salir para arriba.

Es normal que expreses cómo te sientes, yo dejé salir mis lágrimas, pero fueron momentáneas porque entendí que esta situación venía a enseñarme algo.

Así que pedí una señal al Universo, y le dije ayúdame a entender esto.

Entonces tomé conciencia y vi el gran aprendizaje que traía detrás: APRENDER A AMARME COMO NUNCA

LO HABÍA HECHO.

Cuando trasciendes una situación dolorosa, te sientes libre.

Porque **no te quedas estancado en el sufrimiento, y aceptas lo que la vida te presenta sabiendo que todo trae consigo un aprendizaje** y que cuanto mayor sea esa prueba a superar, más grande te harás.

Así que me quedé en paz, como tú también lo harás:

- ✓ Cuando empieces a ver la magia detrás de cada situación.
- ✓ Cuando veas que, dentro de ti, tienes la capacidad de cambiar la forma en la que ves la vida.
- ✓ Cuando te conviertes en una mariposa que tiene alas para sobrevolar cualquier problema.

En el momento en el que dejes de quejarte y empieces a responsabilizarte y a ver la vida con las gafas de la fe y la esperanza, tu vida cambia de paisaje, y se vuelve mucho mejor.

PERSIGUE TUS SUEÑOS Y TRANSFORMA TU VIDA.

Conviértete en mariposa, deja de arrastrarte por el suelo como una oruga y preocúpate por hacer realidad tus sueños sin importar lo que diga la gente.

VUELA COMO UNA MARIPOSA, Y NO TE ARRASTRES CON TUS PROBLEMAS COMO UNA ORUGA.

Aprende a disfrutar de cada momento, no importa cómo esté tu situación de vida ahora, porque hoy puede ser el día en el que tus sueños se hagan realidad, si consigues cambiar el enfoque de tus circunstancias.

Si te está gustando, no te puedes perder lo que viene, acompáñame...

RECUERDA:

♡ TODOS TUS PROBLEMAS TIENEN SOLU-
CIÓN.

♡ El problema reside en los límites de tu mente.

♡ La mente mata los sueños que tenías de niño,
porque ella se basa en la razón, y los sueños
son una ilusión

♡ Cada noche cuando te vas a dormir, ¿cómo te
sientes? Esta es la prueba de tu felicidad y de
tu entusiasmo.

♡ Dos opciones para reaccionar ante el dolor:

1. Aceptar esa situación y saber que es pasajera, y que de ella saldrás más fortalecido.

2. Quejarte y no hacer nada, y decir que
todo te pasa a ti, sin aprender nada de
esa experiencia.

♡ Todo es pasajero, ni la euforia ni el dolor duran
eternamente.

♡ Si ante los momentos de mayor dolor, mantienes una actitud positiva y esperando el milagro, esa situación se transformará.

♡ Si eres consciente de todo el poder que tienes
dentro, serás capaz de encontrar la respuesta
en tu interior.

♡ Escucha a tu corazón, el conoce todas las respuestas a tus preguntas.

♡ Pide alguna señal al Universo, ya sabes que están por todos lados.

♡ La diferencia en las personas no está en cuando las cosas van bien, la diferencia se encuentra en cuando las cosas no estás bien, cómo eres capaz de reaccionar ante esa situación.

♡ Cuando trasciendes una situación dolorosa, te sientes libre.

♡ Porque no te quedas estancado en el sufrimiento, y aceptas lo que la vida te presenta sabiendo que todo trae consigo un aprendizaje

♡ PERSIGUE TUS SUEÑOS Y TRANSFORMA TU VIDA

♡ VUELA COMO UNA MARIPOSA, Y NO TE ARRASTRES CON TUS PROBLEMAS COMO UNA ORUGA.

APRENDE A DISFRUTAR DEL MOMENTO

"Sueña como si fueras a vivir para siempre, vive como si fueras a morir hoy".

JAMES DEAN

No guardes nada para una ocasión especial, tú eres ya especial, disfruta de este momento.

Toda tu vida esperando que llegue la ocasión para lucir aquella vestimenta que te compraste, esperando a perfumarte con ese perfume que guardas para momentos especiales, esperando para ir a cenar a ese lugar tan especial cuando tengas algo que celebrar, esperando ir a la peluquería hasta que llegue esa cita que tanto sueñas, y así te pasas tus días esperando, y ¿sabes qué? LO ÚNICO QUE SE TE PASA ES TU VIDA.

Se te pasa la vida delante de tus ojos y no te das ni cuenta.

Sales a la calle acelerado y a veces sin prestar atención ni a lo que llevas puesto, no te da ni tiempo a peinarte, ¿para qué? No te va a ver nadie especial, ¿verdad?

¿Por qué no empiezas a ponerte lo que tienes guardado para ti, por qué no vas a un lugar que te guste y te arreglas para ti?

Hoy puede ser esa ocasión especial, porque así tú lo decidas.

Empieza a ver la oportunidad en cada uno de tus días, haz como si hoy fuese ese día tan especial, porque, aunque no lo veas, todos los días son un regalo, pase lo que pase, ¿qué mayor regalo que estar vivo y tener la oportunidad de cambiar tu vida?

¿Piensas que no puedes hacer nada? ¿Y eso quién te lo ha dicho? ¿tu mente, quizás? ¿tu entorno?

Es hora de que empieces a creerte que posees una fuerza creadora muy poderosa, eres amor, y el amor todo lo crea.

Puedes cambiar tu situación actual, cambiando tu actitud ante la vida.

Si desde que te levantas ves tu vida como una dura lucha, así seguirá. Si desde que amanece estás deprimido porque te falta algo, sin ver lo que ya tienes, así seguirás.

Pero, si empiezas a creerte que tu situación actual pasará, que el dolor no dura eternamente, si así lo decides tú, vas a ver cómo todo empieza a cambiar a tu alrededor.

Los días se teñirán de otro color, se verán más luminosos porque tú eres la luz que los iluminará.

TIENES EN TUS MANOS EL PINCEL QUE PINTARÁ TU VIDA DEL COLOR QUE MÁS TE GUSTE.

¿A qué esperas para hacer de cada momento una ocasión especial?

Te cuento algo.

No sé dónde vivirás, pero yo he nacido en un pueblo del sur de España, donde están las tradiciones muy arraigadas.

Aquí aún muchas personas tienen la costumbre de guardar un ajuar para sus hijos para cuando estén casados. El ajuar, en el caso de que no lo conozcas, se refiere al menaje del hogar, ropa de cama, toallas, menaje de cocina, etc.

Mi madre también me tenía preparado mi ajuar hasta que llegara el momento. Pero un día pensé, ¿a qué voy a esperar? ¿No es hoy un momento especial para disfrutar todas esas cosas?

El momento presente es lo único que tenemos, es nuestro regalo.

Así que cogí una preciosa sábana con unas hermosas iniciales de mi nombre bordadas y vestí mi cama con ellas, ¿para qué esperar y a qué esperar?

Porque hoy es esa ocasión especial, hoy tienes que agradecer a la vida que estás vivo y celebrar cada día como si fuese el último.

Al hacer de cada día una ocasión especial, atraes hacia ti todas las posibilidades y las circunstancias que convertirán tus sueños en una realidad.

Cuando no esperas a que llegue ese momento, y ya vives cada día como si hoy fuese el día en el que tus sueños se cumplen, vas a ver sin darte ni cuenta, cómo se hacen realidad, porque así lo estás sintiendo tú en este momento.

No guardes nada para mañana, no dejes de hacer algo que te gusta para otro día, hazlo hoy y hazlo por y para ti, y lo demás vendrá solito.

Empieza a hacer que las cosas pasen, no te quedes sentado a que te lluevan los milagros.

Adopta una actitud diferente ante la vida, vive con entusiasmo e ilusiónate como si fueras un niño.

Y no me digas, "tú no lo entiendes", "yo estoy muy mal", "la vida es muy dura conmigo", no permitas que tu mente siga diciéndote las mismas frases, porque así solo conseguirás más de lo mismo.

Sustituye esas frases por: "entiendo lo que dices, hoy voy a hacerme responsable de cómo me siento, y no culpar a nadie más", "aunque hoy mi situación no es la que quisiera, sé que esto pasará, y me hará una persona mucho más fuerte capaz de conseguir grandes cosas en mi vida", "la vida puede ser dura, pero cambiando mi actitud ante ella, hago que todo a mi alrededor cambie, porque si estoy agradecido por lo que ya tengo, y tengo fe, sé que todo pasará, ninguna situación es permanente, todo es pasajero".

Cambia las frases que te digas si estás acostumbrado a centrarte en lo que te falta o en tu situación actual difícil por otras frases que te impulsen a levantarte de nuevo, porque sabes que todo cambia, todo pasa y todo se transforma, pero hay una condición muy importante, una condición clave:

CAMBIA TÚ PRIMERO, Y TODO CAMBIARÁ.

En el momento en el que empieces a disfrutar de todo lo que ya te ha regalado la vida, en el momento en el que dejes de guardar para esa ocasión lo que te compraste o tienes, esos momentos especiales van a venir a ti, porque ya estás preparado para recibirlos.

Tus sueños se hacen realidad cuando te conviertes en la persona que merece recibirlos.

Cuando disfrutas de ti, aprecias cada pequeño detalle de tu vida, cuando te pones guapo o guapa para ti.

APRENDE A DISFRUTAR DEL MOMENTO

Cuando tienes una cita con esa persona que te gusta, ¿qué haces? ¿te pones bien guapo o guapa porque esa ocasión lo merece y quieres dar lo mejor de ti a esa persona?

¿Por qué no haces eso cada día para la persona más importante que tienes en tu vida? ¡¡¡¡QUE ERES TÚ!!!!

Amado lector, arréglate cada día, aunque no tengas ganas, hazlo por eso, por tu falta de ganas, pero la vida quiere darte esa nueva oportunidad ante cualquier situación que estés viviendo.

El Universo te vigila y te va entregar tu sueño, te va a entregar la vida que tanto soñaste cuando hagas de cada día una ocasión especial, pase lo que pase.

Y me dirás que lo estás pasando ahora mal, que no es tan fácil, claro que no es fácil, nada que merece la alegría lo es.

Quedándote sentado sin hacer nada, y diciendo las mismas frases negativas y limitantes, no va a pasar nada.

Pero si decides, a pesar de todo, volver a ponerte de pie y a actuar para que las cosas pasen, llegará un momento en el que tus sueños ya no serán sueños, sino que estarás viviéndolos en tu realidad.

Levántate una vez más, yo sé que puedes, ¿lo sabes tú también?

Ya te caíste muchas veces y te volviste a levantar y viste que algo bueno llegó a tu vida.

Vuélvelo a hacer, y la vida te entregará tu sueño hecho realidad.

AGRADECE EL MAYOR REGALO QUE TIENES, EL DÍA DE HOY.

RECUERDA:

♡ Se te pasa la vida delante de tus ojos y no te das ni cuenta.

♡ ¿Por qué no empiezas a ponerte lo que tienes guardado para ti, por qué no vas a un lugar que te guste y te arreglas para ti?

♡ Hoy puede ser esa ocasión especial, porque así tú lo decidas.

♡ Es hora de que empieces a creerte que posees una fuerza creadora muy poderosa, eres amor, y el amor todo lo crea.

♡ TIENES EN TUS MANOS EL PINCEL QUE PINTARÁ TU VIDA DEL COLOR QUE MÁS TE GUSTE.

♡ El momento presente es lo único que tenemos, es nuestro regalo.

♡ Al hacer de cada día una ocasión especial, atraes hacia ti todas las posibilidades y las circunstancias que convertirán tus sueños en una realidad.

♡ Empieza a hacer que las cosas pasen, no te quedes sentado a que te lluevan los milagros.

♡ CAMBIA TÚ PRIMERO, Y TODO CAMBIARÁ.

♡ Tus sueños se hacen realidad cuando te conviertes en la persona que merece recibirlos.

♡ El Universo te vigila y te va entregar tu sueño, te va a entregar la vida que tanto soñaste cuando hagas de cada día una ocasión especial, pase lo que pase.

♡ Levántate una vez más, yo sé que puedes, ¿lo sabes tú también?

♡ AGRADECE EL MAYOR REGALO QUE TIENES, **EL DÍA DE HOY.**

¿QUÉ MÁS DA LO QUE OPINE LA GENTE?

"Importa mucho más lo que tú opines de ti mismo que lo que los otros opinen de ti".

Amado lector, **en el momento en el que dejas de vivir la vida de los demás, empiezas a vivir tu vida.** Llevan toda tu vida diciéndote lo que tienes o no tienes que hacer.

Primero tus padres educándote, y después todos los demás, el colegio, tu trabajo, la sociedad, tu entorno, los medios de comunicación, todos te dicen lo que está bien y lo que está mal o lo que tienes que hacer para pertenecer a un grupo y que seas aceptado.

Pero yo te pregunto ahora ¿qué quieres tú? ¿te sientes identificado con lo que te dicen, con las etiquetas que te han puesto, con lo que marca la sociedad?

¿Por qué tienes que imitar lo que todos hacen?

Vengo de una cultura y de unas raíces en las que aún queda mucho por avanzar, aunque de cada vez veo más progresos a mi alrededor.

Sin embargo, no me quedaré tranquila hasta que las personas sean capaces de ser felices por ellas mismas sin importar lo que diga la gente o lo que establezca la sociedad.

Todavía en los pueblos de España, existe esa "forma de vida" en la que cuando llegas a cierta edad, tienes que tener novio, y cuando tienes novio, tienes que casarte, aunque ahora también "se acepta" el hecho de vivir juntos. Y una vez que vives con tu pareja, te reclaman el tener hijos.

Puedo entender que antiguamente esa era la forma de vida, y respeto a las personas que sigan pensando así, pero les pido también que respeten a los que no quieran entrar en ese prototipo de la sociedad.

A menudo, **hay personas que no entienden cómo puedes vivir en soledad y ser feliz, piensan que si no formas una familia o tienes pareja no encajas en este molde que han creado.**

Sin embargo, a mí me gustaría preguntarte a ti, ¿estás feliz con tu vida tal cual es?

Seguramente si estás leyendo esto es porque ves que algo no va bien.

Si tienes una familia convencional y eres feliz, te felicito, yo soy una persona familiar también, pero asegúrate de ser feliz por ti y no porque así lo diga la sociedad.

Si lo has decidido tú, te felicito, pero si lo has hecho porque tu entorno también lo hizo, y formó una familia, pero eso no es lo que tú querías o no te sientes satisfecho, es hora de cambiar, amado lector.

Para construir las bases de un hogar feliz, lo principal es conocer quién eres tú y cuáles son tus pasiones, ¿Con qué te sientes realizado?

Muchas veces por querer agradar a los demás, te has dejado a ti de lado, te entregas a los demás, y la pasión o los sueños que tenías los dejas atrás, porque ahora te has metido en el papel de una persona adulta que tiene que hacer lo que la sociedad le diga.

¿Quién eres tú amado lector?

Tú eres más de lo que te dicen los demás que eres.

Naciste con un talento, tenías unos sueños por cumplir, y a esto es lo que me refiero.

¿Por qué estás viviendo tratando de agradar a los que te rodean? ¿Dónde quedaron tus sueños?

Si quieres encontrarte contigo mismo y sentir de nuevo ese entusiasmo de cuando eras niño, tendrás que hacer lo que te dicte tu corazón.

Tendrás que desagradar a muchos de tu entorno, pero vas a recibir la mayor recompensa, ser fiel a ti mismo.

Con frecuencia, hay muchas personas que no son felices en sus vidas.

Tienen una monotonía que les ha creado su entorno. Se dedican a su trabajo, su familia, su hogar, y no tienen tiempo para ellos mismos.

No seas tú uno de ellos, **dedícate tiempo para ti, saca tiempo para amarte, para mimarte, porque si no lo haces terminarás por tener una vida que no quieres, solo por poner siempre a los demás delante de ti.**

¿Y qué más da lo que opinen los demás?

Vives mirando la pareja que tiene el otro, la casa que compró tu amigo, el coche que se compró tu vecino. Siempre estás mirando fuera de ti, pero te estás olvidando de lo más importante, de mirar tu interior.

¿Qué más da las cosas materiales que tengan los demás? ¿Les has preguntando si cuando llega la noche y van a dormir, están en paz y felices?

Si no eres feliz contigo primero no podrás disfrutar de lo material.

Trabaja e invierte en ti, y lo material también vendrá a ti.

Sé fiel a lo que tu corazón te diga.

Si quieres una pareja, la encontrarás, si prefieres vivir solo, disfruta de tu soledad, si quieres formar una familia, así será, pero siempre hazlo desde tu corazón y no por imitación o imposición.

Todo está dentro de ti.

Para ser feliz, preocúpate primero de ti, huye de los chismes, no escuches las críticas que siempre las tendrás, si no las escuchas, las críticas se las quedan ellos.

Ámate tú primero y luego contagia con tu amor a los demás.

SIGUE A TU CORAZÓN SIEMPRE, ESCÚCHALO PORQUE TE ESTÁ HABLANDO CONSTANTEMENTE.

Respeta las opiniones de las demás personas, aunque no las compartas y no entres en debates que no llevan a ninguna parte, cada uno elige la vida que quiere vivir.

No trates de imponer tu forma de ver la vida a nadie. Si alguien ve algo de ti que le gusta, ellos vendrán y te preguntarán.

Con las críticas, haz oídos sordos, tu felicidad y tu paz van primero, no entres en el juego.

EL AMOR PUEDE CON TODO.

Camina por tu vida desde el amor, desde la paz, desde la armonía, y sigue el camino hacia la vida de tus sueños.

ERES EL ÚNICO RESPONSABLE DE TU VIDA.

LA VIDA DE TUS SUEÑOS

RECUERDA:

♡ En el momento en el que dejas de vivir la vida de los demás, empiezas a vivir tu vida.

♡ Hay personas que no entienden cómo puedes vivir en soledad y ser feliz, piensan que si no formas una familia o tienes pareja no encajas en este molde que han creado.

♡ Para construir las bases de un hogar feliz, lo principal es conocer quién eres tú y cuáles son tus pasiones, ¿Con qué te sientes realizado?

♡ Tú eres más de lo que te dicen los demás que eres.

♡ Si quieres encontrarte contigo mismo y sentir de nuevo ese entusiasmo de cuando eras niño, tendrás que hacer lo que te dicte tu corazón.

♡ Dedícate tiempo para ti, saca tiempo para amarte, para mimarte, porque si no lo haces terminarás por tener una vida que no quieres, solo por poner siempre a los demás delante de ti.

♡ ¿Qué más da las cosas materiales que tengan los demás? ¿Les has preguntando si cuando llega la noche y van a dormir, están en paz y felices?

♡ Trabaja e invierte en ti, y lo material también vendrá a ti.

♡ Todo está dentro de ti.

♡ SIGUE A TU CORAZÓN SIEMPRE, ESCÚCHALO PORQUE TE ESTÁ HABLANDO CONSTANTEMENTE.

♡ No trates de imponer tu forma de ver la vida a nadie

♡ Con las críticas, haz oídos sordos, tu felicidad y tu paz van primero, no entres en el juego.

♡ Camina por tu vida desde el amor, desde la paz, desde la armonía, y sigue el camino hacia la vida de tus sueños.

NO TE COMPARES CON NADIE

"No te compares con nadie en este mundo. Si lo haces te estás insultando a ti mismo".

BILL GATES.

¿Por qué compararte con otra persona, si tú y cada uno de nosotros somos únicos y es ahí donde está la grandeza de cada persona?

Eres único, no hay nadie igual que tú, pero no te creas ni inferior ni superior al prójimo, porque todos formamos parte de un conjunto, y somos iguales en nuestra esencia, procedemos del amor y somos amor.

Cuando entras en la comparación no es tu conciencia la que te habla si no tu ego, que siempre está jugándote malas pasadas.

Tienes la mala costumbre de estar siempre mirando alrededor de ti.

Tanto en tu entorno, como en los medios de comunicación o en las redes sociales, estás viendo continuamente vidas que tú crees que no podrías nunca alcanzar, porque así te lo han hecho creer.

Dices que hay personas que nacen con más suerte que otras, eso es lo que tú piensas, pero no es así.

Desde pequeño te han ido limitando, te han dicho que hay personas que nacen con "un pan debajo del brazo", llegan bendecidos y viven una vida llena de bendiciones.

Y lo peor es que te lo has creído, porque si no, nunca te compararías con nadie.

Está bien tener un referente, alguien a quien admiras y que te gustaría llegar a tener los logros que ha conseguido esa persona. Pero no te sientas inferior a nadie porque tienes el poder de conseguir lo que sueñes.

No mires al que tiene una casa más grande y más bonita y un buen coche y te preguntes, que está haciendo esa persona que, trabajando igual, consiga más que yo.

Porque ahí es donde entra a jugar contigo y a adueñarse de ti tu EGO.

Tu ego te dice que tienes que ser mejor que el otro, y que, si otra persona trabaja como tú, pero tiene más que tú, o bien crees que es por suerte o quizás esté robando o manejando negocios ilegales.

Empiezas a centrarte en el mal, y en lo que tú no has podido conseguir todavía, y te dejas llevar por tu ego.

Cuando te domina tu ego, no vas a conseguir nada de lo que ya no tengas.

Seguirás tal y como estás hoy, porque **la fuerza creadora capaz de crear la vida de tus sueños es el amor.**

Si vieras cada situación desde el amor, no entrarías en el juego de compararte con los demás.

Tú tienes dentro de ti el poder de crear la vida que tanto has soñado.

Pero, ¿sabes qué? **Llevas toda tu vida engañado por tu mente que te pone límites, que te dice que la gente de éxito y también los famosos pueden tener lo que quieran, pero tú no puedes. Tu mente te dice que no te muevas de donde estás porque puede que pierdas lo que tienes.**

Te han ido diciendo a lo largo de tu etapa de crecimiento, las cosas que puedes o no puedes hacer y lo que puedes o no puedes tener, y te has ido limitando con esas creencias.

A menudo has escuchado, "eres demasiado joven", "eres mayor para eso", "no te hagas ilusiones", "baja de la nube".

Y así te has pasado tantos años de tu vida, preguntándote: ¿por qué unos sí y otros no?

Pero tú eres mucho más que eso, eres grandioso. Empieza a creértelo.

Te diré algo, **muchas de las personas exitosas y que también se han hecho famosas por su éxito no tuvieron ni estudios, empezaron de la nada.**

El empresario Amancio Ortega, empezó de la nada vendiendo batas de estar por casa, y ahora es multimillonario, conocido por ser propietario de Inditex.

Si él hubiera pensado que es cuestión de suerte que haya personas ricas y personas pobres, todavía estaría vendiendo batas de casa en Galicia.

Si cmbargo, él tenía una visión de futuro, no se conformaba con menos y trabajó duro para llegar hasta donde está hoy en día.

No te compares con nadie, amado lector.

Levántate ahora y trabaja por tus sueños.
No basta con rezar, orar, y esperar a que la vida o el Universo te entreguen lo que pides. Si no haces nada, no te va a caer nada del cielo.

Te digo esto porque te amo, y quiero ayudarte y sé de lo que hablo.

Me he pasado casi toda mi vida, esperando a que Dios escuchara mis peticiones, rezaba y decía, ¿qué he hecho para que no me escuche?

Dios, el Universo o como tú lo llames, había escuchado mis peticiones, pero yo estaba sentada en casa llorando o viendo la televisión esperando que el milagro cayera del cielo, y el milagro no llegaba...

Hasta que un día, ya me dolió bastante y pregunté qué hacía yo en esta vida, no quería vivir así.

Entonces es cuando surgió de mí una gran fuerza, que me impulsó a moverme, a conocerme, a actuar.

Siempre me comparaba con mi entorno, tenían novios, se casaban, tenían hijos y yo en cambio, estaba flotando como un corcho en el agua, de un lado a otro sin rumbo.

Hasta que no me hice responsable de mi vida y dejé de esperar y empecé a actuar no puede ver la magia que había en mí.

Descubrí todo mi potencial, me aprendí a amar a través de mis relaciones, y comprendí que la felicidad no estaba en las cosas materiales ni en compararme con la vida de los demás.

La felicidad solo dependía de mí.

¿Por qué no dejas de ver lo que hay allí afuera y dejas de mirar lo que tiene el otro o la vida de los famosos y miras lo que tienes dentro?

Si te vieras a ti desde fuera, te enamorarías de ti mismo, porque eres amor, eres luz, y tienes magia dentro de ti.

Puedes tener la vida que quieras y no la que tenga tu vecino, siempre que a ti te haga feliz.

Eres muy valioso, créetelo. Te enseñaron a pensar que te tenías que conformar, que la vida es cuestión de suerte y tú te lo creíste.

Es hora de que cambies esa creencia, porque eres mucho más. Tú lo eres ya todo.

Tienes todo lo que ves que te gusta de los demás en ti. Es hora de sacar ese potencial fuera.

Y no te compares, eres único, y el otro también es único.

No mires a la persona de frente con envidia, ni celos, ni ira, todos estamos conectados, y la forma en que la estás mirando, te viene devuelta a ti.

Si miras desde el miedo, desde la carencia, es porque aún no te crees que tienes la capacidad de conseguir la vida que sueñas.

Si te comparas es porque algo te falta en tu vida, porque las personas felices no se comparan con nadie ya que se sienten plenas.

Y la felicidad no te la va a dar lo que tengas sino lo que eres tú.

En la medida en la que creas en ti, lo demás vendrá a ti, sin necesitarlo.

No te compares, imagina un futuro mejor y crea tu realidad desde dentro de ti.

Empieza a valorarte como la persona que va a hacer que las cosas pasen en su vida y que no se va a quedar sentado esperando, ni se va a rendir cuando se presente la dificultad.

Cuando veas a alguien millonario, admíralo y no lo critiques.

Cuando veas a una pareja de enamorados, admírala y no la critiques.

Cuando veas a una persona con un cuerpo y una salud espectacular, admírala y no la critiques.

ADMIRA LAS PERSONAS QUE TIENEN LO QUE A TI TE GUSTARÍA, PORQUE TODO LO QUE VES ESTÁ DENTRO DE TI YA.

Aprende de ellos.

Ha llegado la hora de pulir ese diamante en bruto que eres.

Y no critiques, porque si lo haces, estarás demostrando que te falta eso que tú estás viendo, y de esta manera nunca lo tendrás.

¿Qué vas a hacer hoy para cambiar tu situación?

Cuéntamelo, estaré encantada de ver cómo haces realidad tus sueños.

RECUERDA:

♡ Tu ego te dice que tienes que ser el mejor que el otro

♡ Cuando te domina tu ego, no vas a conseguir nada de lo que ya no tengas.

♡ La fuerza creadora capaz de crear la vida de tus sueños es el amor.

♡ Tú tienes dentro de ti el poder de crear la vida que tanto has soñado.

♡ Llevas toda tu vida engañado por tu mente que te pone límites, que te dice que los famosos pueden tener lo que quieran pero tú no puedes. Tu mente te dice que no te muevas de donde estás porque puede que pierdas lo que tienes.

♡ Muchas de las personas exitosas y que también se han hecho famosas por su éxito no tuvieron ni estudios, empezaron de la nada

♡ Levántate ahora y trabaja por tus sueños.

♡ Si te vieras a ti desde fuera, te enamorarías de ti mismo, porque eres amor, eres luz, y tienes magia dentro de ti.

♡ Eres muy valioso, créetelo. Te enseñaron a pensar que te tenías que conformar, que la vida es cuestión de suerte y tú te lo creíste.

♡ Tienes todo lo que ves que te gusta de los demás en ti. Es hora de sacar ese potencial fuera.

♡ Si te comparas es porque algo te falta en tu vida, porque las personas felices no se comparan con nadie ya que se sienten plenas.

♡ En la medida en la que creas en ti, lo demás vendrá a ti, sin necesitarlo.

TU VIDA ES SÓLO TUYA

"Aún hay fuego en tu alma, aún hay vida en tus sueños...No te rindas porque la vida es eso, continuar el viaje, perseguir tus sueños, destrabar el tiempo, correr los escombros y destapar el cielo".

FRAGMENTO DEL POEMA "NO TE RINDAS" DE MARIO BENEDETTI.

¿Alguna vez te has visto viviendo una vida donde no te sentías tú mismo porque intentabas agradar a alguien?

¿Quizás a tus padres, a tus amigos, a tu pareja?

En el momento en el que vives tu vida en base a lo que opinen, piensen o quieran los demás, pierdes tu poder sobre tu vida, y los demás son los que te manejan como una marioneta.

Te han dicho desde pequeño que debes estudiar para ser alguien con futuro, ¿verdad? Lo dicen el 90% de los padres: "hijo si no estudias no podrás llegar a nada".

Supongamos que decides estudiar y que cuando terminas trabajas de lo que has estudiado y te gusta. Empiezas tu rutina hasta que te das cuenta de que estás en un mundo en el que no encuentras tu lugar, el estrés se ha apoderado de ti, y no le encuentras el sentido a todos esos años de universidad. Y entonces, ¿ahora qué puede ocurrir?

Pueden ocurrir dos cosas, que sigas trabajando, aunque no te encuentres realizado, y lo hagas solo por el dinero, o puedes, decidir cambiar de rumbo, y dejar todo atrás y encontrarte contigo mismo, conocer tu verdadera misión en la vida, ¿por qué estás aquí en este mundo? ¿qué has venido a hacer?

Esta decisión determinará tu vida, y tu nivel de realización personal.

A menudo escucho la historia de muchas personas que han cursado estudios universitarios por tratar de agradar a los padres, e incluso han estudiado lo mismo que ellos para ejercer después la misma profesión. Cuando hablo con ellos no veo personas entusiasmadas con su trabajo ni con sus vidas. Están deseando que llegue vacaciones para desconectar de un mundo estresante que ellos mismos han elegido.

¿Por qué hacemos esto?

Y digo hacemos, porque antes de dedicarme al crecimiento personal, estudié Traducción e Interpretación de francés porque "había que tener unos estudios universitarios", eso es lo que tus padres te dicen o la sociedad establece, pero ¿es eso lo que quieres?

Si es así, adelante, debes guiarte por donde tu corazón te lleve.

Pero mi corazón, aunque le apasionan las diferentes culturas e idiomas, no iba por ese camino. No me sentía feliz.

¿Te ha pasado algo parecido?

O puede que tus padres te hayan dicho que debes trabajar a muy temprana edad, para ganar dinero para la casa, y te hayas quedado con la ilusión de hacer una carrera universitaria. Es hora de que hagas lo que te dice tu corazón.

¿A qué le temes? ¿Qué pensamientos te están viniendo ahora? ¿Te dicen que no puedes, que ya estás mayor, que tienes una familia que atender? ¿Cuáles son tus limitaciones?

Esos pensamientos que te acaban de pasar por tu mente son solo falsas creencias que se te han ido imponiendo durante años.

Ahora es el momento, de desmontar esa gran mentira que te han contado.

Claro que puedes hacer con tu vida lo que te diga tu corazón.

No tienes que vivir la vida de otros, tu vida es solo tuya.

Tú eres el productor, el director, el guionista, y el actor de tu vida.

Cuando decidí que no quería dedicarme a la traducción de francés, volví a mi pueblo natal y retomé el negocio familiar de mi madre, una tienda de ropa.

Me apasiona y me enriquece el trato directo con los clientes, pero vi que este trabajo había pasado de abuelos a hijos y de hijos ahora a nietos, y ahora era yo, la que seguía con esa herencia, imitando inconscientemente la vida de mis antecesores.

¿Trabajas tú en este momento en una empresa familiar, o te dedicas al mismo trabajo que tenían tus padres?

Si es porque te apasiona, te felicito, pero si es porque crees que no hay otro empleo mejor para ti, es hora de que cambies tu situación.

Y me dirás, "María, ya no puedo, porque necesito el dinero para vivir", "me tengo que conformar", "es lo que me ha tocado".

Siento decirte que "no te ha tocado nada", tú eres el único responsable de tu vida.

Has tratado de agradar a muchas personas en tu vida, has trabajado en empleos en los que el estrés se apoderaba de tus días y ha terminado por enfermarte.

¿Hasta cuándo vas a tratar de agradar al otro o de encajar en lo que establezca la sociedad?

Es hora de coger las riendas de tu vida.

Cuando te importan las opiniones de los demás, cuando te ofendes, cuando vives pensando en el qué dirán, le estás dando el poder de tu vida a la otra persona.

Al igual ocurre con las relaciones, eres libre de elegir tu modo de vida en cuanto a relaciones y no tienes que imitar a ningún grupo, ni a tus padres, ni a tus amigos, ni a tu entorno.

Preocúpate solo porque lo que a ti te hace feliz, siempre y cuando con tus actos no salga nadie perjudicado.

Es decir, si no quieres tener una familia convencional, eres libre de tener relaciones esporádicas las que quieras si la otra persona también está de acuerdo.

Si tienes fe y sabes que existe el amor en la pareja, entonces actúa en consecuencia, y conviértete en esa pareja que sueñas y la atraerás hacia ti.

No le hagas a los demás lo que no te gustaría que te hicieran a ti.

Pero elige ante todo tu forma de vivir, busca dentro de ti y conéctate con tu esencia, donde podrás encontrar todas las respuestas a tus preguntas.

Tu corazón nunca falla, él sabe bien el camino.

Solamente que tú mismo, por comodidad, o por tratar de encajar o agradar a los demás, estás viviendo una vida en contra de lo que dicta tu corazón.

Este es un viaje de paso, empieza a vivir a partir de ahora tu vida, no la de tus padres, no la del vecino, no la del amigo.

Tienes el poder dentro de ti de crear la vida de tus sueños, tienes que creerte ya en ella.

Empieza no poniendo límites a tu vida, todo lo que te impide avanzar en tu vida es un límite que te has puesto tú.

Y cuando encuentres a ese compañero o compañero de viaje, sigue viviendo tu propia vida, no te permitas vivir la vida que te imponga tu compañero.

Las relaciones de pareja son para que te expandas, para que seas tú mismo, sin que nadie intente cambiarte.

No puedes cambiar tú para agradar a tu pareja, ambos sois únicos con sus propios mundos que comparten un proyecto de vida en común y en una misma dirección, pero cada uno con su propio mundo individual.

Por eso es tan importante definir bien a la persona que te va a acompañar en tu vida porque puede ser una bendición si camina en tu dirección, o puede ser un lastre que te anule como persona.

Tú eres el responsable de elegir y decidir con quién quieres compartir este viaje.

No intentes encajar en ningún molde, no quiere decir si todo tu entorno está casado, con hijos, o hasta con nietos, tú tengas que ser igual, llevar la misma vida.

Cada uno elige la vida que quiere vivir. Si eres familiar y es lo que quieres, tendrás tu hogar feliz, pero debes elegirlo tú, porque así te lo dicte tu corazón. Tu vida es solo tuya.

Veo y hablo con personas que están atrapadas en matrimonios donde no son felices, y están ahí por los hijos si los tienen, o por el qué dirán, porque sus padres, sus amigos, su entorno, viven de la misma manera.

Si no eres feliz donde estás, ¿quién te está impidiendo que cambies ahora mismo tu vida?

¿Tienes miedo a quedarte solo?

Es una pregunta que me hacen muchas veces a mí, ¿no te da miedo estar sola en tu casa?

Hace un tiempo pensaba que debía encontrar el amor y la felicidad fuera, que era imposible estar feliz sin otra persona, y ¿sabes qué? Buscando la felicidad y el amor fuera, aparte de no encontrar nada de eso, me encontré más vacía aún.

Ni el amor ni la felicidad están fueran, habitan en ti.

Cuando aprendí y tomé conciencia, empecé a llenarme de amor, me sentía más libre que nunca, abracé mi soledad, que es tan necesaria para conocerte a ti mismo, y he aprendido a amarme. Y desde esa plenitud ahora puedo elegir vivir con un compañero de viaje y juntos formar un hogar feliz.

Ahora te pregunto, ¿cómo te sientes tú? ¿estás viviendo tu vida o la vida que te dicen los demás?

¿A quién vas a agradar, al prójimo, o a la persona más importante de tu vida, a ti?

Tu decisión es solo tuya, depende de ti.

Tu elección determinará la vida que tengas a partir de ahora, si eliges agradar a los demás, seguirás viviendo su vida y no la tuya, ellos tendrán el poder sobre tu vida.

Pero si eliges agradarte a ti, te sentirás pleno, sentirás el amor como nunca lo has sentido, y podrás crear y vivir la vida que tanto soñaste.

Si crees que hay un sueño delante de ti, esperándote, nada te detendrá e irás a por él.

Pero si crees que no hay nada más después de tu situación actual de vida, ahí te quedarás, viendo cómo pasan los días, viendo como pasa tu vida sin hacer nada.

"Tanto si crees que puedes como si crees que no puedes, estás en lo cierto".

HENRY FORD

Amado lector, quiero ayudarte, porque he estado muchos años sentada viendo cómo pasaba mi vida, sin saber qué hacer, preguntándome si esto era la vida, y si no había nada más.

Te digo por mi experiencia de que esto que estás viviendo no es la vida, hay muchísimo más, y lo más importante, tú eres el único responsable de que tu vida cambie.

LEVÁNTATE Y MUÉVETE.

En el momento en el que des el primer paso hacia tus sueños, todo el Universo te acompañará para que así sea.

Pero deja de estar viviendo una vida donde no encuentras tu lugar, donde no te sientes bien.

Tu vida es solo tuya, nunca lo olvides.

RECUERDA:

♡ En el momento en el que vives tu vida en base a lo que opinen, piensen o quieran los demás, pierdes tu poder sobre tu vida, y los demás son los que te manejan como una marioneta.

♡ Es el momento de desmontar esa gran mentira que te han contado.

♡ No tienes que vivir la vida de otros, tu vida es solo tuya.

♡ Tú eres el productor, el director, el guionista, y el actor de tu vida.

♡ Siento decirte que "no te ha tocado nada", tú eres el único responsable de tu vida.

♡ Es hora de coger las riendas de tu vida.

♡ Preocúpate solo porque lo que a ti te hace feliz, siempre y cuando con tus actos no salga nadie perjudicado.

♡ Tu corazón nunca falla, él sabe bien el camino.

♡ Este es un viaje de paso, empieza a vivir desde ahora tu vida, no la de tus padres, no la del vecino, no la del amigo.

♡ Empieza no poniendo límites a tu vida, todo lo que te impide avanzar en tu vida es un límite que te has puesto tú.

♡ Tú eres el responsable de elegir y decidir con quién quieres compartir este viaje.

♡ Cada uno elige la vida que quiere vivir.

♡ Si no eres feliz donde estás, ¿quién te está impidiendo que cambies ahora mismo tu vida?

♡ ¿A quién vas a agradar, al prójimo, o a la persona más importante de tu vida, a ti?

♡ Si crees que hay un sueño delante de ti, esperándote, nada te detendrá e irás a por él.

♡ LEVÁNTATE Y MUÉVETE.

♡ En el momento en el que des el primer paso hacia tus sueños, todo el Universo te acompañará para que así sea.

♡ Tu vida es solo tuya, nunca lo olvides.

NO TE ESTRESES

"No te sientes bien porque el mundo vaya bien, sino que tu mundo va bien porque tú te sientes bien".

WAYNE DYER

Observo todos los días cuando salgo de mi casa para ir a trabajar a las personas con las que me encuentro. Van aceleradas, pendientes de los móviles muchas de ellas, vas a hacer las compras, y todos tienen prisa, empiezan a desesperarse, lo que crea un ambiente de estrés y tensión.

Como ahora el móvil es una pieza fundamental que utilizo como herramienta de trabajo, a veces me pasa lo mismo, voy pendiente mirando hacia abajo y cuando me doy cuenta lo meto en mi bolso y empiezo a contemplar la belleza de todo lo que me rodea.

No sé si te habrás dado cuenta de lo bello que es el cielo, yo no me di cuenta hasta hace unos años.

Caminas deprisa queriendo hacer mil cosas a la vez, y te olvidas de los regalos divinos, los amaneceres, los atardeceres, los primeros rayos del sol, la luna en la noche con el cielo estrellado.

Llevas un ritmo acelerado y solo miras el reloj y corres de un lado a otro.

Tu trabajo te ocupa la mayor parte de tu vida, puede que estés en este trabajo solo para ganar dinero, pero no te apasiona, no eres feliz, y solo estás deseando que llegue el fin de semana para salir de ahí pitando, o esperando vacaciones para desconectar.

Sin embargo, llega el fin de semana, y en lugar de conectarte contigo mismo y ver lo que verdaderamente quieres en tu vida, sigues sin parar, con tu familia, con tus amigos, haciendo viajes, saliendo y entrando, pegándote una fiesta de vez en cuando, pero déjame que te pregunte: ¿TE HAS PARADO ALGUNA VEZ A CONECTARTE CON TU INTERIOR? ¿TE HAS PREGUNTADO QUIÉN ERES EN REALIDAD Y POR QUÉ ESTÁS HACIENDO LO QUE HACES? ¿TE HAS PARADO A SENTIR TU RESPIRACIÓN Y A HABLAR CON TU ESENCIA, CON TU MÁS PURO AMOR?

Si no has hecho nada de esto, tengo que decirte que **vives en un mundo donde has sido dominado por tu EGO, y te has alejado mucho de lo que verdaderamente eres, PURO AMOR CAPAZ DE CREAR LA VIDA DE TUS SUEÑOS.**

Porque **dentro de ti existe un GENIO, procedes de una Fuente de posibilidades infinita que ha creado todo cuanto ves con tus ojos, como lo que nos ves a simple vista.**

Dentro de ti existen dos vocecitas, si vives estresado, angustiado, deprimido, te estás dejando llevar por tu ego.

Si la normalidad en tu vida es la calma, el agradecimiento, el amor, y la alegría, estás conectado con el verdadero SER que eres.

No te preocupes, sé humilde y reconoce cuál de esas dos voces has estado escuchando hasta ahora.

Este es el momento de elegir a qué voz vas a seguir escuchando el resto de tus días: a tu ego o a tu corazón.

Me pasé casi toda mi vida haciendo caso a mi mente dominada por mi ego. La misma mente que me hizo buscar el amor fuera, agradar a las demás personas, desagradándome a mí misma, hasta que de tanto escuchar esa terrible voz caí en una depresión que me hizo cuestionarme mi vida.

Ahí fue donde empecé a escuchar a mi corazón, a conectarme con mi verdadero amor, mi fuerza interna que mi hizo salir de aquella oscuridad, y permitió irradiar la luz que todos llevamos dentro.

Tu Ego quiere ganar siempre la partida, te dice que tienes que competir para ser el mejor, que tienes que tener la razón, que tu éxito en la vida se mide por el dinero que tengas, y por lo material que poseas, te convence de que tu reputación es lo más importante.

Y ahí te ves compitiendo con los demás, saliendo a la calle como si se tratase de un campo de batalla, y mirando a ver qué tiene el otro que no tenga yo, ¿verdad?

No te preocupes si te sientes identificado, lo importante es reconocerlo.

El primer paso para liberarte de ese estrés, esa tristeza y esa ansiedad es ser consciente de tu situación, y querer cambiarla desde este momento.

No puedes culpar a todo lo que te rodea de tu vida, de cómo te sientes, eres el único responsable de VIVIR DEPRISA.

Amado lector, FRENA EL RITMO, reserva unos minutos de tu día, no te pido mucho, a meditar. Concéntrate en tu respiración, siente los latidos de tu corazón, y pregúntate, ¿qué quieres en tu vida? ¿qué sientes? ÁMATE, VALÓRATE, RESPÉTATE.

Puedes pensar que no tienes tiempo que tienes mucho por hacer, que tienes hijos o personas mayores que atender, que no puedes porque eres muy nervioso, etc...SON EXCUSAS.

¿TE GUSTA TODO DE TU VIDA TAL CUAL ESTÁ?

Si no cambias tú primero, y haces algo diferente, tu vida va a seguir igual.

Si cuando te vas a dormir y te despiertas, estás relajado, alegre y feliz, te felicito, pero si de lo contrario, el estrés y la tristeza se ha apoderado de ti, HAY ALGO QUE TIENES QUE CAMBIAR EN TU INTERIOR.

Dyer propone una frase para los momentos donde te entre ese estado de nervios, estrés, ansiedad, y que parezca que no puedes más, di para ti mismo: QUIERO SENTIRME BIEN.

Son tres palabras mágicas, no tienes que creerme nada de lo que te digo, pero quiero ayudarte y sé que, si lo haces y de verdad quieres un cambio en tu vida, lo vas a lograr. Porque la fe y el amor que eres, es capaz de transformar tu situación.

No pongas excusas y no pienses que eres egoísta reservando tiempo para ti, cuando tienes muchas obligaciones. **Las personas que te rodean cuando tú estés conectado con tu esencia, cuando vibres en amor, se van a contagiar de esa luz que desprendes, mejorarás la vida de tus hijos, de tu familia, de tu entorno.**

Si tienes hijos, ¿crees que viviendo deprisa y estresado tratando de hacer todo por ellos, y ellos viendo como sus padres terminan enfermándose por ese ritmo de vida, eso les beneficia? **Sé tú el ejemplo que quieres ver en tus hijos, los niños todo lo imitan, transmíteles calma y alegría.**

Tu estado natural es la alegría, el mundo en el que vives no es el que te genera estrés sino cómo reaccionas ante él y los pensamientos que tienes.

Para liberarte del estrés, aplica estos pasos cada día:

☺ Agradece

☺ Perdona

☺ Medita

☺ Siéntete bien, a pesar de las circunstancias

☺ Sé paciente

☺ Mantén la calma

☺ Repolariza tus pensamientos de negativos a positivos

☺ Camina, practica algún deporte porque te ayuda a liberar tensiones

☺ Ríe todo lo que puedas y más, te ayudas a ti y a los que te rodean.

☺ Conéctate con la naturaleza y los animales, tienen mucho que enseñarte.

Si haces de estos pasos una forma de vida, comprobarás que puedes mantener la calma, aunque tus días estén repletos de tareas y obligaciones que hacer, te tomarás tu vida de otra forma y evitarás caer enfermo, puesto que el estrés desencadena en enfermedad si no tomas conciencia, y actúas de forma diferente.

Practicar deporte, me ayudó mucho cuando caí en una depresión hace unos años.

Siempre he sido muy activa, pero si has pasado por una situación parecida, sabes que pierdes la ilusión y las ganas de moverte y de relacionarte, es más sientes que no puedes ni abrir los ojos, así me sentía yo.

Si te sientes estresado, te aconsejo que dediques una parte de tu día a practicar algún tipo de deporte, no tiene por qué ser una actividad grupal, sal a caminar, o a correr, apúntate a clases de baile, el secreto está en moverte para elevar tu vibración.

Haz alguna actividad que te motive y que te haga moverte, verás cómo empiezas a liberar tensiones, y te sientes mejor tú y las personas que te rodean, ya que cuando te sientes bien y en paz lo transmites a tu entorno, con lo cual mejorarás tus relaciones con los demás.

Conéctate con la naturaleza, porque tienes mucho que aprender de ella. Observa las plantas, los árboles, ¿cómo los ves? Ellos están en calma y tranquilos, aunque vengan días de tormenta, siguen ahí de pie. Están vivos y siguen creciendo, aunque pasen por las mismas estaciones del año.

Aprende a conectar con la naturaleza, respira aire sin contaminar, retírate de la ciudad las veces que puedas si vives en ella, o camina por los parques de tu ciudad si no puedes salir fuera.

Vas a sentir una paz inmensa cuando aprendas a caminar en silencio y observando la belleza de lo que te rodea.

El mar y el sol, dos grandes aliados para combatir el estrés y curar la tristeza. El sol te da vida, el mar te cura, te libera del estrés, por eso, son tantas las personas que se desplazan a los lugares de costa en cuanto tienen unos días de vacaciones.

Un baño con agua de mar es medicina para el alma.

Un rato al sol te recarga tu energía, y te levanta el ánimo.

Los animales, observa los animales que hay en la naturaleza, tanto por tierra como en el cielo, ellos nos transmiten paz y tranquilidad.

¿Tienes algún animal doméstico? Si es así, habrás observado que, si tienes un día de estrés y estás apagado, ellos captan tus emociones al instante, y son capaces de transformar esas emociones en alegría y calma.

Agradece la grandeza de estos regalos divinos, a veces vas tan acelerado que te olvidas casi de tomarte unos segundos para cerrar los ojos y respirar.

RESPIRA Y SIENTE LOS LATIDOS DE TU CORAZÓN, estás vivo, estás a tiempo de vivir tu vida desde el amor, la alegría y la paz que eres.

RECUERDA:

♡ Caminas deprisa queriendo hacer mil cosas a la vez, y te olvidas de los regalos divinos, los amaneceres, los atardeceres, los primeros rayos del sol, la luna en la noche con el cielo estrellado.

♡ Vives en un mundo donde has sido dominado por tu EGO, y te has alejado mucho de lo que verdaderamente eres, PURO AMOR CAPAZ DE CREAR LA VIDA DE TUS SUEÑOS.

♡ Dentro de ti existe un GENIO.

♡ Es el momento de elegir a qué voz vas a seguir escuchando el resto de tus días: a tu ego o a tu corazón.

♡ Tu Ego quiere ganar siempre la partida, te dice que tienes que competir para ser el mejor, que tienes que tener la razón, que tu éxito en la vida se mide por el dinero que tengas, y por lo material que poseas, te convence de que tu reputación es lo más importante.

♡ Si no cambias tú primero, y haces algo diferente, tu vida va a seguir igual.

♡ Dyer propone una frase para los momentos donde te entre ese estado de nervios, estrés, ansiedad, y que parezca que no puedes más, di para ti mismo: QUIERO SENTIRME BIEN.

♡ Las personas que te rodean cuando tú estés conectado con tu esencia, cuando vibres en amor, se van a contagiar de esa luz que desprendes, mejorarás la vida de tus hijos, de tu familia, de tu entorno.

♡ Sé tú el ejemplo que quieres ver en tus hijos, los niños todo lo imitan, transmíteles calma y alegría.

♡ Tu estado natural es la alegría, el mundo en el que vives no es el que te genera estrés sino cómo reaccionas ante él y los pensamientos que tienes.

NO TE TOMES COMO PERSONAL LAS OFENSAS

"Sé amable. Cada persona con la que te encuentras está librando su propia batalla".

PLATÓN

¿Cuántas veces alguna palabra o acto de ciertas personas te han causado dolor?

Sin embargo, ellas no son las responsables del dolor que has sentido en ese momento, sino es cómo tú has reaccionado a lo que te han dicho, lo que ha hecho que te sientas así.

En ocasiones, hay personas que están librando su propia batalla en sus vidas, y al adentrarse en ellas la oscuridad, la esparcen allá afuera sin ni siquiera ser conscientes de ello.

Al sentirse mal con su propia vida, se sienten mal con las personas que le rodean, y más aún con sus seres más cercanos y queridos.

¿No te ha pasado muchas veces que vuelcas tu cabreo sobre las personas que más amas?

¿Verdad que no es tu intención actuar así?, pero lo hiciste inconscientemente, como si tu subconsciente te hiciera compartir ese dolor y que no te lo quedes solo para ti.

Estuve muchos años de mi vida donde había perdido la ilusión, me había enfadado con el mundo y con todos los que me rodeaban.

Sin duda alguna, esta manera de sentirme le perjudicó a las personas que más cerca tenía, a mi pareja en esos momentos, y a la persona que me ama incondicionalmente y a la que amo, mi madre.

Cuando alguien venga a ti con palabras hirientes o actúe de una forma en la que te sientas dañado, no lo tomes a personal, ten compasión, porque si esa persona estuviera feliz, no actuaría así.

¿Verdad que cuando eres feliz, eres incapaz de hacerle daño a nadie, ni siquiera a un mosquito?

Cuando uno se siente feliz, enamorado, y en armonía con la vida, no hiere a nadie. Tú lo habrás comprobado.

Se te puede caer el mundo alrededor, que tú sigues en tu propio mundo, no, porque seas insensible o egoísta, sino porque ves el mundo desde el amor, y desde ese puro amor, todo está en paz y en calma.

Es normal, que, si alguien te hiere, sientas dolor en ese momento, porque es una reacción. Al igual que si tocas una olla hirviendo, te quemas en ese instante porque es una reacción de tu cuerpo.

Sin embargo, ese dolor no tienes por qué llevártelo a cuestas, debes caminar ligero de cargas.

Aprende a manejar tus emociones, exprésalas, libérate de ellas, y después perdona.

No te pido que olvides un mal acto, sino que seas capaz de perdonarlo y recordarlo sin sentir el dolor.

Si piensas que hay personas que solo quieren hacerte daño, eso es lo que verás manifestado en tu vida.

Si puedes ver el amor en todas las personas, aunque a veces, te hagan sentir dolor, recibirás ese amor de vuelta.

Conozco personas que están centradas en lo que pasa afuera, no es porque sean malas personas, sino porque no han aprendido a ver la belleza de lo que tienen dentro, de su esencia.

Si estuvieran conectadas con el puro amor que son, no gastarían su preciado tiempo en vivir pendientes de los demás, y no estarían buscando el fallo en el otro, y la crítica.

Por lo tanto, cuando alguien venga en ese estado de estrés y con ganas de volcarte su estado de ánimo, simplemente mantén la calma, no reacciones igual, porque si lo haces, se expandirá esta situación dominada por los egos.

Aprende a apartarte de las personas que no quieren cambiar su actitud.

No pretendas cambiar a nadie a la fuerza, tienen que ser ellos los que estén preparados para cambiar.

Sencillamente, sonríe, deséales lo mejor y sigue tu camino.

Tu sonrisa y tu alegría no pueden verse alteradas por lo que pase fuera.

Pese a las circunstancias y situaciones que se te presenten, nunca pierdas tu sonrisa, pues es la que va a poder cambiar tu manera de ver las cosas, y, por lo tanto, lo que ves, cambiará.

Tu forma de ver la vida depende de las gafas que lleves puestas.

Dame la mano, y sigue acompañándome en este viaje...

RECUERDA:

♡ Cuando alguien venga a ti con palabras hirientes o actúe de una forma en la que te sientas dañado, no lo tomes a personal, ten compasión, porque si esa persona estuviera feliz, no actuaría así.

♡ Aprende a manejar tus emociones, exprésalas, libérate de ellas, y después perdona.

♡ Si piensas que hay personas que solo quieren hacerte daño, eso es lo que verás manifestado en tu vida.

♡ Si puedes ver el amor en todas las personas, aunque a veces, te hagan sentir dolor, recibirás ese amor de vuelta.

♡ Aprende a apartarte de las personas que no quieren cambiar su actitud.

♡ Sencillamente, sonríe, deséales lo mejor y sigue tu camino.

♡ Pese a las circunstancias y situaciones que se te presenten, nunca pierdas tu sonrisa, pues es la que va a poder cambiar tu manera de ver las cosas, y, por lo tanto, lo que ves, cambiará.

MIRA TU VIDA CON OTRAS GAFAS

"La vida es fascinante, sólo hay que mirarla a través de las gafas correctas".

ALEXANDRE DUMAS

Imagínate que tuvieras unas gafas mágicas capaces de crear cada día de tu vida.

Estas gafas serán de varios tipos, dependiendo de las que escojas así podrás ver la realidad de tus días.

¿Cómo te has despertado hoy, amado lector? ¿Te preocupa algo? ¿Estás feliz con tu vida?

Cuando sales a la calle cada mañana, ¿cómo te relacionas con los demás? ¿Les regalas una sonrisa, les saludas o sales a la calle como si te dirigieses a un campo de batalla?

Depende de las gafas que escojas, así verás tu realidad.

Si el 90% de tus días te levantas sin ánimo, sin ganas de ir a trabajar, y andas quejándote la mayoría del tiempo, has escogido las gafas equivocadas. No te preocupes, yo también estuve un tiempo mirando la vida desde un cristal que solo me reflejaba una vida que yo no quería. TIENE SOLUCIÓN.

Sin embargo, esta vida que tienes ahora, aunque te duela lo que te digo, la has escogido tú.

Tú eres el responsable de cómo percibes la realidad de tus días.

Te pongo un ejemplo que comprenderás fácilmente.

Imagina que te invitan a una fiesta, y vas con otra persona. Os presentan a las mismas personas de la fiesta, y empezáis a conversar.

Al día siguiente, te encuentras con unos amigos y te preguntan qué tal lo pasaste. Les contestas que la gente con la que hablaste era aburrida, que no lo pasaste bien, y que solo querías salir de allí porque no estabas pasándolo bien.

Sin embargo, estas personas le habían hecho la misma pregunta a la persona que te acompañó, y les había contestado todo lo contrario. La otra persona dijo que había conocido a personas maravillosas y que se divirtió mucho en esa fiesta.

¿Qué ha pasado en esta historia?

Dos personas que van al mismo lugar y conocen a la misma gente tienen dos percepciones muy diferentes de la realidad.

Según piense, se sienta y sea cada persona, eso es lo que verá reflejado en el exterior.

Amado lector, con este ejemplo quiero que entiendas que, **si sales a la calle pensando que la vida es difícil, es lo que vas a ver manifestado cada día, porque la vida te va a ir presentando dificultades para reafirmar tus pensamientos.**

Por esta razón, cada pensamiento genera una realidad en tu vida.

¿Verdad que cuando estás pasando por una dificultad, de repente aparece otra, y se va formando una bola y empiezas a preguntarte por qué todo te pasa a ti?

Sé de lo que hablo porque yo estuve muchos años en un papel de víctima pensando que con lo buena persona que era, ¿cómo podía estar la vida en contra de mí?

Con esta actitud de víctima ante la vida, no consigues salir de ahí, estás en la misma situación de "la pescadilla que se muerde la cola", dando vueltas, y sin saber, cómo salir.

Es muy importante, que selecciones bien las gafas con las que quieres ver tu vida.

Los cristales de tus gafas son los que van a reflejar tus pensamientos, y los van a hacer realidad en tu vida.

Si sigues viendo lo que te falta para ser feliz, si sigues esperando a que venga alguien a solucionarte la vida, si sigues esperando a tener dinero para ser feliz, sin ver lo que ya posees en tu vida, has escogido las gafas equivocadas.

Esas gafas solo reflejan la escasez, y eso solo es lo que verás.

Sin embargo, si decides ver la vida desde la gratitud, aunque tu situación de vida sea ahora complicada y estés pasando por una situación dolorosa, si agradeces lo que ya tienes, esa situación va a cambiar de matiz.

Tu situación actual no es permanente, no puedes enfocarte en el dolor que ahora tienes. Debes seleccionar las gafas de la confianza.

Las gafas de la confianza te hacen ver la vida con fe. Estas gafas aceptan cada situación que tengas difícil en tu vida, y saben que si continúas caminando, y superas cada prueba, saldrás fortalecido y se te recompensará por ello.

La vida te premia por no rendirte ante ninguna situación pase lo que pase.

Selecciona bien las gafas que te vas a poner hoy cuando te despiertes, cuando salgas a la calle, cuando te relaciones con la gente.

Imagina que tus gafas tienen el poder de cambiarte a ti y como consecuencia cambiar tu vida.

¿Cómo te gustaría ser? ¿Cómo te sentirías? ¿Qué vida te gustaría tener? ¿Qué trabajo? ¿Cómo serían tus relaciones?

¿Y si te digo que, dentro de ti, tienes magia para poder cambiar tu vida para siempre?

No te hablaría de esto si no lo hubiera vivido.

Hace unos años mi vida no tenía sentido, por mucho que lo quería encontrar había perdido el sentido de mi vida.

Me pasaba horas y horas llorando sentada acurrucada o en la cama o en el sofá, lo que se derivó en una depresión, e hice el intento dos veces de quitarme el regalo más grande que tenemos, la vida.

Pero algo en mi interior muy poderoso me habló diciéndome que mi vida no era esta situación, sino que había mucho más.

Tu vida no es lo que tú estás viendo ahora mismo con esas gafas, es mucho más, amado lector.

MIRA TU VIDA CON OTRAS GAFAS

En el momento en el que pisas fondo, es cuando solo te queda una única dirección en tu vida, la de ir hacia arriba.

Y yo empecé a subir, empecé a viajar hacia mi interior como te expliqué el primer tomo, El Amor de tus Sueños, y descubrí la magia que todos llevamos dentro.

No te centres en lo que estés viviendo en estos momentos si no te gusta lo que ves o si estás atravesando un momento de dolor, ponte las gafas de la fe, acepta cada situación de tu vida, aunque sea dolorosa, porque todo te va a llevar a tu crecimiento.

La vida, Dios, el Universo, quiere que aprendas muchas lecciones y lo hace a través de pruebas, a veces bastante duras.

Pero este es un viaje de paso, y se te ha dado el regalo de poder vivirlo, **eres un milagro, estás vivo y tienes la oportunidad de cambiar tu vida, y cambiar la perspectiva en la que percibes tu realidad.**

Esto lo consigues:

✓ Amándote y valorándote.

✓ Despertando dando las gracias por lo que tienes.

✓ Dejando la queja a un lado.

✓ Seleccionando las gafas correctas para cada día.

✓ Saliendo a la calle con una sonrisa.

✓ Centrándote en el amor de cada persona y no en los defectos.

✓ Huyendo de las críticas destructivas.

✓ Alejándote del victimismo.

✓ Imaginando la vida que te gustaría vivir.

✓ Manteniendo una actitud positiva.

✓ Perdonando.

✓ Amando.

Señales de que llevas puestas las gafas incorrectas:
Este puede ser un ejemplo de tu día...

☹ Te despiertas y te das cuenta de que vas tarde.

☹ Sales estresado de tu casa.

☹ Coges el coche y no arranca.

☹ Cuando consigues arrancarlo, hay mucho tráfico y te desesperas.

☹ Llegas tarde al lugar donde te dirigías.

☹ En tu trabajo tienes un día duro,

☹ De cada vez te sientes más estresado.

☹ Tienes ansiedad y te cuesta dormir por las noches.

☹ Huyes de la soledad.

☹ Lloras fácilmente.

☹ Te quejas constantemente.

☹ Culpas a los demás.

☹ Siempre estás centrado en lo que te falta.

☹ Criticas a quien tiene una vida mejor.

¿Te has visto reflejado en alguna de estas situaciones? ES HORA DE CAMBIAR DE GAFAS.

¿Cómo eliges ver tu vida a partir de hoy? ¿Qué gafas te vas a poner?

Cuando decidas ponerte las gafas correctas, empezarás a ver tu vida de otro color, parece como si cambiaran los decorados. Saldrás a la calle, y te fijarás en los pequeños detalles pero que son los más mágicos, podrás apreciar la belleza de las nubes en el cielo que a menudo representan formas que nos recuerdan a algo o a alguien.

Con las gafas correctas, podrás oler y apreciar el aroma en las calles, de los árboles, el olor a dulce de las pastelerías y el olor a café.

Las gafas correctas te harán apreciar a los pájaros que se posan en los árboles, a los niños pequeños que te regalan una sonrisa.

Las gafas correctas te hacen que comprendas a las demás personas, empatices con ellos, puesto que cada persona con la que te cruzas puede estar pasando por un mal momento.

Mira con las gafas del amor que eres.

Podrás ver el amor que siempre ha existido en cada rincón por donde pasabas pero que tus viejas gafas te impedían apreciarlo.

Sabrás apreciar la belleza de lo sencillo.

TU VIDA CAMBIA DE COLOR DEPENDIENDO DEL CRISTAL CON EL QUE LA MIRES.

Al igual que puedes elegir las gafas con las que ver tu vida, puedes y debes seleccionar la información que te llega del exterior, así como las fuentes de las que vas a recibir esa información.

Elige aquellas fuentes que te alejen del drama, ¿me acompañas y te las muestro?

RECUERDA:

♡ Depende de las gafas que escojas, así verás tu realidad.

♡ Tú eres el responsable de cómo percibes la realidad de tus días.

♡ Si sales a la calle pensando que la vida es difícil, es lo que vas a ver manifestado cada día, porque la vida te va a ir presentando dificultades para reafirmar tus pensamientos.

♡ Los cristales de tus gafas son los que van a reflejar tus pensamientos, y los van a hacer realidad en tu vida.

♡ Tu situación actual no es permanente, no puedes enfocarte en el dolor que ahora tienes. Debes seleccionar las gafas de la confianza.

♡ La vida te premia por no rendirte ante ninguna situación pase lo que pase.

♡ Imagina que tus gafas tienen el poder de cambiarte a ti y como consecuencia cambiar tu vida.

♡ Tu vida no es lo que tú estás viendo ahora mismo con esas gafas, es mucho más.

♡ Eres un milagro, estás vivo y tienes la oportunidad de cambiar tu vida, y cambiar la perspectiva en la que percibes tu realidad.

♡ Cuando decidas ponerte las gafas correctas, empezarás a ver tu vida de otro color.

♡ Mira con las gafas del amor que eres.

ALÉJATE DEL DRAMA

"Las amistades de un hombre son una de las mejores medidas de su valía."

Charles Darwin

Te habrás dado cuenta, amado lector, de que estás bombardeado de información desde que amanece hasta que te vas a dormir.

Es muy importante lo que ves y oyes diariamente porque eso va a determinar cómo te sientas a lo largo del día.

Cuando te despiertas, ¿te gusta poner la televisión para oír las noticias o escuchar la radio?

Si nada más abrir los ojos, pones las noticias y ves alguna noticia de impacto, esa primera información que recibes va a determinar tu estado de ánimo durante el día.

Por eso, **es muy importante que nada más abrir los ojos, selecciones muy bien qué información dejas entrar en tu subconsciente.**

Si escuchas música alegre te activarás, tendrás más energía y vitalidad durante el día, que, si en lugar de eso, ves a primera hora alguna tragedia en las noticias.

Si además te gusta leer, y dedicas unos minutos antes de empezar con tu rutina a una lectura que te motive, te sentirás enérgico el resto del día.

Cada día cuando sales a la calle, te relacionas con muchas personas, pueden ser vecinos, amigos, compañeros de trabajo. Si pones atención a las conversaciones, hay muchas personas que les gusta hablar de sus problemas con todo el mundo, además de enfocarse en los problemas que hay en la sociedad o los que tenga el vecino.

Con esto trato de que entiendas que **si en tu círculo de personas, hay gente que se centra solo en lo negativo, es mejor, que te alejes, porque si no tienes aún una energía muy elevada te contagias de esa negatividad.**

¿Verdad que te sientes mejor cuando te encuentras una persona, que a pesar de cómo le vaya su vida, siempre está con una sonrisa y mirando hacia delante?

Hay personas que, aunque la vida les golpee más de una vez, desprenden una luz que contagian al que se cruza por su lado.

Tú eres luz en esencia, tú llevas esa luz en tu interior.

Sé tú la luz que ilumine a otras personas.

Esto lo consigues seleccionando lo que oyes y lo que ves, y quedándote con la información que te ayude en tu crecimiento.

Si quieres sentir el amor y la felicidad que residen en tu interior, debes alejarte de los programas de televisión que no aporten nada, aléjate de los chismes, de las reuniones donde se critica al que le va bien, de las personas que no agradecen lo que tienen en sus vidas y solo se quejan y se centran en lo que les falta.

Todas las personas en esencia somos iguales, somos amor, pero no todas las personas están conectadas con ese amor.

Te habrás encontrado con gente que se alegra de que te vaya bien la vida, pero te habrás encontrado también con gente que, aunque se alegre de tu felicidad, cuando tu felicidad es mayor que la suya, entonces la situación cambia.

Es decir, cuando hay personas que manifiestan envidia ante la felicidad que estás sintiendo, no quiere decir que no sean malas personas, sino que están muy alejadas de su verdadera esencia, del verdadero amor que hay en su interior.

El sentir envidia es porque tienen limitaciones, piensan que no pueden sentirse como tú o no pueden alcanzar la vida que tú tienes.

Los límites no existen, y en el Universo hay para todos.

Puedes tener la vida que elijas, la vida de tus sueños está ahí para ti, pero tienes que creer en ella y crearla.

Al creer en la vida de tus sueños, ya las estás creando.

Para hacer tus sueños realidad deberás alimentarte con pensamientos positivos, y no permitir que te invada del exterior la información negativa.

Eres el responsable de tu vida y de cómo reaccionas ante lo que percibes del exterior.

Tú no eres responsable de la vida de los demás, debes respetar si quieres ser respetado, y no entres en juicios si no quieres ser juzgado.

Cuando te reúnas con personas donde la conversación se centre en criticar al prójimo, sal de ahí pitando.

Selecciona muy bien las personas de las que quieres rodearte, y las fuentes de donde te va a llegar la información.

¿No te ha pasado que te cruzas con un grupo de personas, y su tema de conversación es las enfermedades que tienen? Y lo peor de todo esto, es que cada una de ellas enfatiza en que está peor que la persona de al lado.

Es una manera de sentirse bien con ellas mismas, pero lo único que consiguen hablando del drama es expandir más su dolor.

Si quieres manifestar salud, dinero y amor en tu vida, tienes que vigilar las palabras que empleas en tu vida diaria y la información que recibes de tu entorno, pues influirá directamente en tu realidad.

Habla de la energía que tienes, da las gracias a diario por todo lo que ya posees en tu vida, agradece todo cuanto tengas, habla con palabras de fe en el amor, y verás los resultados en tu vida.

Para poder vivir La vida de tus sueños necesitas empezar a sentirte con unos niveles altos de energía, que son los que acelerarán el proceso para la realización de tus sueños.

Dame la mano, que te muestro algunos tips para elevar tu energía a continuación...

RECUERDA:

♡ Es muy importante que nada más abrir los ojos, selecciones muy bien qué información dejas entrar en tu subconsciente.

♡ Si en tu círculo de personas, hay gente que se centra solo en lo negativo, es mejor, que te alejes, porque si no tienes aún una energía muy elevada te contagias de esa negatividad.

♡ Hay personas que, aunque la vida les golpee más de una vez, desprenden una luz que contagian al que se cruza por su lado.

♡ Sé tú la luz que ilumine a otras personas.

♡ Todas las personas en esencia somos iguales, somos amor, pero no todas las personas están conectadas con ese amor.

♡ Los límites no existen, y en el Universo hay para todos.

♡ Para hacer tus sueños realidad deberás alimentarte con pensamientos positivos, y no permitir que te invada del exterior la información negativa.

♡ Eres el responsable de tu vida y de cómo reaccionas ante lo que percibes del exterior.

♡ Selecciona muy bien las personas de las que quieres rodearte, y las fuentes de donde te va a llegar la información.

♡ Si quieres manifestar salud, dinero y amor en tu vida, tienes que vigilar las palabras que empleas en tu vida diaria y la información que recibes de tu entorno, pues influirá directamente en tu realidad.

ELEVA TU ENERGÍA

"Deja siempre suficiente espacio en tu vida para hacer algo que te haga feliz, te deje satisfecho y te traiga alegría. Eso tiene más poder sobre nuestro bienestar que cualquier otro factor económico".

PAUL HAWKEN, AMBIENTALISTA,
AUTOR Y ACTIVISTA NORTEAMERICANO.

Como has visto estás cada día recibiendo información procedente de muchas fuentes, y estás continuamente en contacto con personas, cada una librando sus propias batallas.

No eres un ser aislado del mundo, todo lo contrario, estás conectado con todo lo que te rodea sean personas, naturaleza o cosas, puesto que todo es energía y procede de la misma fuente.

Si lo que pasa a tu alrededor es bueno, te contagiarás de su energía, y estarás más entusiasmado y alegre sin tener que hacer nada.

La diferencia se encuentra en cuando lo que sucede a tu alrededor no es tan bueno, porque también te vas a contagiar de esa energía que te bajará el ánimo y te hará sentir más decaído.

Si estás pasando por una situación difícil, o la estás viviendo de cerca en tu hogar o con algún familiar cercano, no vas a alejarte. En este caso no puedes distanciarte de tu familia, pero sí debes enfrentar las situaciones que se te presenten en tu vida de diferente manera a como lo hacen el resto, para no perder tu energía, y que esa situación también te arrastre a ti.

Porque **cuantas más personas estén en ese nivel bajo de energía y se sientan tristes y decaídas, la situación se va a empeorar.**

☺ Puede que tu situación actual en tu hogar y con tu pareja, no esté pasando por su mejor momento y te haya robado la energía.

☹ Puede que la relación con algún familiar te esté perjudicando porque haya algún conflicto.

☺ Puede que no estés satisfecho en el trabajo, porque no te gusta o por tus compañeros.

☹ Puede que estés pasando por un duelo debido a una pérdida, bien por fallecimiento o ruptura.

☺ Puede que estés pasando por una situación económica complicada.

☹ Puede que estés pasando por una enfermedad.

La manera en la que reacciones ante las situaciones más difíciles determinará la persona que eres. Tu fe es probada constantemente, y no todo el mundo reacciona igual.

Si permites que tu circunstancia actual te arrastre con ella, no tendrás una energía alta y te quedarás ahí estancado, esperando a que pase esa tormenta.

Pero cuando pase esa tormenta, quizás venga otra porque estás tan desanimado que solo atraes hacia a ti situaciones parecidas.

¿No has dicho alguna vez: "parece que todo me sale mal, cuando no es una cosa, es otra, todo me pasa a mí"?

Esa es la razón por la que, **cuando no eres capaz de recuperar tu energía, atraes más circunstancias parecidas.**

Tus pensamientos son los responsables de manifestar en tu vida una realidad u otra. Si tienes más pensamientos negativos que positivos, verás reflejadas en tu vida situaciones negativas que se correspondan con tus pensamientos.

Ahora te voy a regalar unos **consejos para elevar tu energía** cuando te veas ante una dificultad:

☺ **Vigila tus pensamientos,** según lo que pienses, es lo que verás en tu realidad, sea bueno o malo

☺ **Acepta cada situación** que te presente la vida, aunque sea dura, viene para enseñarte algo.

☺ **Permítete expresar tus emociones,** no las reprimas, llora cuando lo necesites, pero no alargues el sufrimiento porque te sentirás aún peor.

☺ **Agradece cada día** nada más abrir tus ojos, pues la vida te está regalando un nuevo día.

☺ **Ámate y ama a los demás,** cuando conectas con el amor que eres, lo puedes apreciar en cada rincón, y te hace sentir pleno y feliz.

☺ **Regala abrazos** porque son medicina para el alma.

☺ **Perdona** a los que te hicieron daño, pide perdón y perdónate a ti mismo. Es muy importante sanar para reactivar tu energía.

☺ **Escucha música alegre,** que te motive, sé consciente de las letras de las canciones que escuchas. Si quieres manifestar amor, no puedes escuchar canciones de desamor que te bajen el ánimo.

☺ **Conecta con el niño que eres.** ¿Te has fijado que los niños reaccionan diferente ante el dolor? Sé como un niño.

☺ **Ríete,** tienes muchos motivos para ser feliz, celebra que estás vivo, y que tienes la oportunidad de empezar de nuevo, y alcanzar tus sueños.

☺ **Sal a caminar, conéctate con la naturaleza.** La naturaleza es sanadora, abrázala, siéntate en el campo a contemplar la belleza que te regala la vida, cierra tus ojos, respira profundamente y siente que estás vivo.

☺ **Practica otros deportes, muévete, baila,** vas a notar cómo se eleva tu energía y te sientes mejor.

☺ **Come sano,** porque los alimentos grasos o con muchos azúcares te restan energía.

☺ **Apaga el televisor y lee un buen libro** que te motive.

☺ **Pon fotografías por tu casa, que te alegren tus días,** de paisajes, animales, el mar. O fotografías que te recuerden momentos alegres de tu vida. Te aseguro que subirán tu energía.

☺ **Disfruta de las buenas compañías,** las que te suman, y te ayudan a crecer. Tú sabes cuáles son.

☺ **Sé bondadoso** sin pedir nada a cambio, elevará tu energía ver cómo puedes aportar felicidad en la vida de los demás.

☺ **Disfruta de los pequeños placeres**, ¿cuál es tu comida o alimento preferido, por ejemplo? Saboréalo y agradece cada bocado como una bendición.

☺ **Escribe o imprime frases motivadoras** y ponlas en diferentes partes de tu casa.

☺ Antes de dormir, vuelve a dar las gracias y perdona, **visualiza cómo quieres que sea tu vida, medita cada día.** La meditación te ayuda a conectarte con tu esencia, y te ayuda a vivir tu vida en paz, amor y armonía.

Todos estos consejos aplicados diariamente van a elevar tu energía y te ayudarán a reaccionar de diferente manera ante cualquier problema que se te presente.

Si antes reaccionabas mal ante el problema, te hundías y luego te quejabas, ahora, antes de que llegue ese problema, tú estarás preparado para hacerle frente, y cuando llegue apenas te rozará porque sabrás mantener la calma ante cualquier situación.

Es muy importante tener una energía alta, para que puedas atraer cualquier sueño que tengas a tu vida. Cuando consigues estar en paz y feliz ante cualquier adversidad, la vida te premia con más momentos que aumentarán esa felicidad.

Cuanto más entusiasmo tengas por la vida, más magia encontrarás en ella.

Dentro de li ya eres magia, empieza a creértelo.

Y a esa magia que siempre ha estado en ti, y a ese amor que todo lo crea, accedes a través de tu fe.

Acompáñame que tengo algo que debes conocer...

RECUERDA:

♡ No eres un ser aislado del mundo, todo lo contrario, estás conectado con todo lo que te rodea sean personas, naturaleza o cosas, puesto que todo es energía y procede de la misma fuente.

♡ Cuantas más personas estén en ese nivel bajo de energía y se sientan tristes y decaídas, la situación se va a empeorar.

♡ La manera en la que reacciones ante las situaciones más difíciles determinará la persona que eres.

♡ Cuando no eres capaz de recuperar tu energía, atraes más circunstancias parecidas.

♡ Consejos para recuperar tu energía:

☺ Vigila tus pensamientos

☺ Acepta cada situación.

☺ Permítete expresar tus emociones.

☺ Agradece cada día.

☺ Ámate y ama a los demás

☺ Regala abrazos

☺ Perdona.

☺ Escucha música alegre.

☺ Conecta con el niño que eres

☺ Ríete.

☺ Sal a caminar, conéctate con la naturaleza.

☺ Practica otros deportes, muévete, baila.

☺ Come sano.

☺ Apaga el televisor y lee un buen libro.

☺ Pon fotografías por tu casa alegres

☺ Disfruta de las buenas compañías.

☺ Sé bondadoso

☺ Disfruta de los pequeños placeres.

☺ Escribe o imprime frases motivadoras y ponlas por tu casa

☺ Visualiza cómo quieres que sea tu vida, medita cada día.

♡ Es muy importante tener una energía alta, para que puedas atraer cualquier sueño que tengas a tu vida. Cuando consigues estar en paz y feliz ante cualquier adversidad, la vida te premia con más momentos que aumentarán esa felicidad.

TU FE TODO LO PUEDE

"La fe es dar el primer paso, incluso cuando no ves la escalera completa".

MARTIN LUTHER KING, JR

Amado lector, ¿cómo te sientes ahora, en este momento en el que estás leyendo estas palabras? ¿Sientes algo en tu interior que te indica que debes solucionar una situación en tu vida? ¿te sientes amado?

¿Piensas que la vida es dura, y quieres tener fe, pero no puedes porque has pasado por muchas situaciones difíciles?

También pasé por ahí, por donde tú estás ahora mismo, perdí la fe en un momento de mi vida. Me sentía desconectada del mundo y de mí, no le encontraba el sentido a nada, me preguntaba a menudo, "si existe Dios, ¿por qué no escucha lo que le estoy pidiendo?"

¿Te has hecho esta pregunta alguna vez o te has sentido así?

Sé que si estás leyendo esto no es al azar, ha llegado a ti por una razón muy importante:

VOLVER A VER TU VIDA CON FE.

Cuando pierdes la fe, lo pierdes todo, te encuentras como un barco sin timón, que navega donde lo lleve el viento, sin rumbo.

Piensas que la situación que vives es lo que te ha tocado, y esperas a ver qué te viene después.

Y, ¿sabes que vendrá después?

Las circunstancias de tu vida no llegan aleatoriamente, ni al azar.

Todo lo que estés viviendo lo has atraído tú por la manera de pensar. En lo que prestes más atención, es lo que vas a ver en tu realidad, sea bueno o malo.

Cuando no tienes fe, en que existe algo superior que te guía, que te escucha, que te acompaña, pierdes la ilusión por tu vida, dejas de creer en tus sueños de cuando eras niño.

Puedes llamar a esta fuerza superior como más cómodo te sientas, Dios, Universo, Energía...

Él siempre te ha escuchado, pero si pierdes la fe, y entras en estados de rencor, ira, resentimiento, incertidumbre, no puedes recibir la lluvia de señales que continuamente te está enviando.

También estuve mucho tiempo desconectada de todo, y lo peor desconectada de mí, no sentía amor, y **cuando no sientes amor, no puedes recibir esas señales que se encuentran por todos lados.**

Cuando tienes fe, y necesitas recibir una respuesta ante una situación, el Universo, se comunica contigo enviándote señales.

Al estar tanto tiempo desconectada de mí misma, yo no era consciente de esas señales, puede que tú ahora estés así.

Pero si has estudiado bien toda mi trilogía y has conectado con tu esencia, que es tu verdadero amor, te habrás dado cuenta de que cuanto más meditas, más conectado estás y más percibes las señales que te envían respondiendo a tus preguntas.

Cuando sabes que el Universo va por delante de ti abriéndote camino, **aunque se te presenten pruebas duras, tienes la fe de que son necesarias para prepararte y hacerte más grande, y así poder atraer tus sueños.**

Los años en los que peor me sentí tanto mental como físicamente, fueron los que estuve enfadada con la vida, culpaba a todo lo que me rodeaba, y a Dios por sentirme así.

No tenía ilusión por despertarme, mis relaciones iban de mal en peor, no me amaba, llegué a distanciarme de la persona que me ama incondicionalmente, mi madre, entré en una depresión, y me planteé hasta quitarme la vida.

Fíjate hasta dónde te puede llevar no tener fe, no tener entusiasmo por la vida, perder la ilusión.

En el momento, en el que pisas fondo, es cuando notas que algo te empuja desde tu interior para que subas, y ahí es justo en ese momento, cuando ves que no estás solo, que algo más grandioso te acompaña.

No estás solo, amado lector, estás conectado con tu esencia, con tu amor, con Dios, con el Universo.

Cuando entiendas que tu fe todo lo puede, que formas parte de un todo, y que puedes crear la vida que tanto sueñas, no volverás a darle poder a los miedos.

Los miedos se disipan cuando tu amor aparece.

Con mi fe, logré salir de ese pozo en el que estaba metida, con mi fe recuperé el amor con mi madre, con mi fe transformé mis relaciones, irradié amor, y eso lo vi reflejado en cada persona con la que me encontraba.

Cada día me levanto con una ilusión, agradezco lo que ya tengo y sigo caminando hacia mis sueños. **Te aseguro que si te mantienes en fe ante cualquier situación, esa situación va a cambiar.** Primero debes cambiar tú mismo, empezar a amarte y a apreciar lo que la vida te regala, no te centres en lo que te falta, porque si buscas la felicidad en algo externo nunca las vas a encontrar.

Tu felicidad depende de ti, depende de cómo tú decidas ver cada situación de tu vida.

Tu fe, tu amor por ti y por la vida y tu actitud positiva hacen que tus sueños se conviertan en tu realidad.

Te sugiero que medites todos los días, reserva un tiempo de tu día para sentir los latidos de tu corazón y prestar atención a tu respiración. Retírate a un lugar donde no te interrumpa nadie, cierra los ojos y respira profundamente, siente tu respiración al inhalar y al exhalar. Observa cómo cuando te conectas contigo, el exterior deja de importar, todo está bien. Desde ahí, puedes pedir alguna señal que te sirva de guía ante cualquier situación por la que estés pasando. Puede llegarte en ese momento en forma de pensamiento, o recibirla a lo largo de tu día. Debes estar abierto a recibir los mensajes.

Antes de empezar a escribir esta trilogía, no entendía cómo el chico que el Universo me había enviado, salía de mi vida, una sensación a como cuando estás viviendo un sueño y de repente te lo arrebatan. Pedí una señal que me ayudara a entender la situación y de repente, antes de empezar a escribir, me llegó la respuesta en forma de pensamiento.

La vida me había despejado el camino mostrándome que debía amarme mucho más, para que pudiera regalarte ahora a ti, amado lector, mi ayuda y acompañarte en tu camino hacia tus sueños.

El Universo te va guiando y preparando para que recibas la vida de tus sueños, y por eso, este camino tenía que atravesarlo sin mi acompañante de viaje.

A veces no entiendes lo que te ocurre, pero cuando tomas conciencia, compruebas que era necesario para tu crecimiento.

Cuando no pierdes la fe, sabes que esa persona de tus sueños está ahí esperándote a que estés preparado.

El Universo ya escuchó lo que tu corazón anhela, solo te pide que confíes en ti y en él, y que seas feliz pase lo que pase.

En el momento en el que seas capaz de reaccionar de manera diferente a cómo lo hacías en el pasado ante una situación similar, la vida te lo va a recompensar puesto que has aprendido la lección y has crecido.

Pero si cuando te llega la dificultad, empiezas a culpar a todos de tu infelicidad, de tu dolor, de tu "mala suerte" como muchas veces lo llamas, entonces, la vida te va a volver a poner más situaciones parecidas hasta que aprendas lo que viene a enseñarte.

Es así, **la única diferencia entre una persona que confía y tiene fe, y otra que no la tiene, es su forma de reaccionar ante las mismas situaciones de la vida.**

Mi fe me dijo que la vida me había apartado del amor en pareja, pero solo era momentáneamente, porque cuando estás conectado con tu verdadera esencia, cuando vibras en amor, y estás ilusionado cada día que amanece, el Universo te va enviando señales.

Señales que encontrarás de muchas formas y procedentes de distintos lugares, letras de canciones en relación con tu sueño, olores, plumas de colores, la forma de las nubes, palomas blancas, mariposas, las secuencias de números, llamadas inesperadas, etc... todas estas señales, si vibras en amor, podrás identificarlas perfectamente.

Conmigo lo ha hecho y contigo lo va a hacer también, **abre tu corazón para recibir los regalos que te da la vida**, aprecia cómo el sol vuelve a salir, los colores del cielo en el amanecer, la naturaleza, los animales, el cielo en la noche repleto de estrellas.

A menudo vas tan acelerado que no sabes apreciar las maravillas que tienes ante tu vista.

Vas pendiente del móvil, vas caminando deprisa hacia el trabajo, llegas a tu casa y no disfrutas de tu hogar ni de tu familia...**RESPIRA Y OBSERVA TODA LA BELLEZA QUE HAY EN TU VIDA.**

Cuando estás en fe, vas a impresionarte con las señales que recibes, vas a ver la vida como cuando eras niño y todo te ilusionaba.

De repente un día, encenderás la radio y aparecerá una canción que llevas mucho sin oír y que justo te da la respuesta a una pregunta que hiciste. O bien esa canción te muestra que vas por el camino correcto.

O simplemente, vas por la calle y te cruzas con la persona con la que estás pensando y que llevas tiempo sin ver.

Es alucinante tu vida cuando estás en fe, cuando te decides vivir la Vida de tus Sueños sin rendirte, pase lo que pase.

La vida premia a los que siguen levantándose una vez más, a los que nunca se rinden, a los que por más golpes que reciban siguen creyendo en el amor y en la Vida de sus Sueños, y sobre todo VAN A POR SUS SUEÑOS Y LOS HACEN REALIDAD.

RECUERDA:

♡ Cuando pierdes la fe, lo pierdes todo, te encuentras como un barco sin timón, que navega donde lo lleve el viento, sin rumbo.

♡ Las circunstancias de tu vida no llegan aleatoriamente, ni al azar.

♡ Cuando no sientes amor, no puedes recibir esas señales que se encuentran por todos lados.

♡ Cuando tienes fe, y necesitas recibir una respuesta ante una situación, el Universo, se comunica contigo enviándote señales.

♡ Aunque se te presenten pruebas duras, tienes la fe de que son necesarias para prepararte y hacerte más grande, y así poder atraer tus sueños.

♡ En el momento, en el que pisas fondo, es cuando notas que algo te empuja desde tu interior para que subas, y ahí es justo en ese momento, cuando ves que no estás solo, que algo más grandioso te acompaña.

♡ Los miedos se disipan cuando tu amor aparece.

♡ Te aseguro que si te mantienes en fe ante cualquier situación, esa situación va a cambiar.

♡ Tu fe, tu amor por ti y por la vida y tu actitud positiva hacen que tus sueños se conviertan en tu realidad.

♡ Te sugiero que medites todos los días

♡ El Universo ya escuchó lo que tu corazón anhela, solo te pide que confíes en ti y en él, y que seas feliz pase lo que pase.

♡ La única diferencia entre una persona que confía y tiene fe, y otra que no la tiene, es su forma de reaccionar ante las mismas situaciones de la vida.

♡ Abre tu corazón para recibir los regalos que te da la vida

♡ RESPIRA Y OBSERVA TODA LA BELLEZA QUE HAY EN TU VIDA.

ELIMINA TUS ETIQUETAS

"Yo soy el hechicero, y cuando abra los ojos veré un mundo que he creado yo, y por el cual soy completamente responsable".

RICHARD BACH, ESCRITOR Y NOVELISTA
ESTADOUNIDENSE DE LOS SETENTA.

Amado lector, en tu vida no existen los límites, los límites te los has puesto tú mismo creyendo que eras de una manera y actuando en consecuencia a lo que te creíste.

Hay una serie de etiquetas que sin ser consciente de ellas te dices casi diariamente y te condicionan a la hora de hacer realidad tus sueños.

Estas etiquetas pueden resumirse en:

"ASÍ SOY YO"

"NO LO PUEDO EVITAR"

"ESTE ES MI CARÁCTER"

"YO SIEMPRE HE SIDO ASÍ"

Decirte estas expresiones, hacen que te quedes inmovilizado, es como una muerte en vida, puesto que te has autodefinido de una forma fija sin posibilidad a ningún cambio, como si fuese alguien fabricado de esta manera y que nunca podrá cambiar.

Estas etiquetas son destructoras de sueños, porque no te dejan crecer, avanzar ni alcanzar tus sueños.

Si crees que ciertas actitudes te están dificultando o frenando en tu vida, eres la única persona responsable de poder cambiarte a ti mismo para poder cambiar tu realidad.

Desde pequeño, y en las diferentes etapas de tu crecimiento, te fueron limitando diciéndote lo que podías o no hacer, y cómo eras, y tú, que viniste siendo luz, te fuiste apagando y te fuiste creyendo lo que oías.

Empezaron a decirte: "tú eres muy tímido", "tú solo no puedes hacer eso", "tú no eres capaz de realizar esa tarea solo".

Te fueron limitando y tú fuiste adueñándote de esas etiquetas y también de las que te pusiste tú mismo: "yo soy así y no lo puedo evitar porque mi padre o mi madre son así también".

Cuando hablo con las personas observo hasta qué punto pueden limitarse en sus vidas, en una misma frase, pueden decir las cuatro expresiones que te he mostrado al comienzo del capítulo sin darse cuenta de que están condicionando su vida:

"María, no lo puedo evitar, yo soy así y siempre lo he sido es mi personalidad y no puedo hacer nada". Millones de veces habré escuchado esta frase, dicha así tal cual.

Hace unos años, cuando yo iba por la vida como barco sin timón, a menudo me venían todas estas expresiones que utilizaba para protegerme o para evitar alguna situación y así evadir mi responsabilidad.

Cuando dices, "yo soy así y no lo puedo evitar", no te estás haciendo responsable de tu vida.

Te haces responsable cuando dices, "aunque antes era así o actuaba de esta manera, ahora he cambiado".

El YO SOY, es el verbo creador, dependiendo de cómo lo emplees te ayudará a crear la vida de tus sueños o será un destructor de sueños.

Por ejemplo, si quieres alcanzar tu sueño, más te vale que empieces a utilizar los YO SOY a tu favor. Emplea expresiones como:

YO SOY OPTIMISTA

YO SOY AMOR.

YO SOY CREATIVO.

YO SOY UN REALIZADOR DE MIS SUEÑOS.

YO SOY INTELIGENTE.

YO SOY COMUNICATIVO.

YO SOY ORDENADO Y ORGANIZADO.

YO SOY SALUDABLE.

YO SOY ABUNDANTE.

Sustituye estas afirmaciones y otras más que se te ocurran positivas y ve eliminando las que te limitan y nacen de tus miedos: "yo soy tímido", "yo soy tonto", "yo soy feo", "yo soy débil".

Si yo me hubiese seguido creyendo las etiquetas que me había adjudicado diciéndome: "yo soy muy tímida, yo soy tonta de buena, yo soy frágil", te aseguro que, de seguir diciendo estas expresiones a mí misma, hoy no estarías leyendo estas páginas, porque no sería la persona que hoy soy y que he decido ser porque yo lo he elegido así.

Tú también puedes elegir quién quieres ser en tu vida y eliminar de una vez todas esas etiquetas que te impiden disfrutar de una vida plena.

Sigue acompañándome en el siguiente capítulo, ha llegado la hora de elegir quién quieres ser, y cómo te vas a poder acercar más a la vida que te mereces.

RECUERDA:

♡ Hay una serie de etiquetas que sin ser consciente de ellas te dices casi diariamente y te condicionan a la hora de hacer realidad tus sueños.

♡ Si crees que ciertas actitudes te están dificultando o frenando en tu vida, eres la única persona responsable de poder cambiarte a ti mismo para poder cambiar tu realidad.

♡ Te fueron limitando y tú fuiste adueñándote de esas etiquetas y también de las que te pusiste tú mismo: "yo soy así y no lo puedo evitar porque mi padre o mi madre son así también".

♡ Cuando dices, "yo soy así y no lo puedo evitar", no te estás haciendo responsable de tu vida.

♡ Te haces responsable cuando dices, "aunque antes era así o actuaba de esta manera, ahora he cambiado".

♡ El YO SOY, es el verbo creador, si quieres alcanzar tu sueño, más te vale que empieces a utilizar los YO SOY a tu favor.

♡ Tú también puedes elegir quién quieres ser en tu vida y eliminar de una vez todas esas etiquetas que te impiden disfrutar de una vida plena.

ELIGE QUIÉN QUIERES SER

"Cuando yo tenía 5 años mi madre me decía que la felicidad era la clave de la vida. Cuando fui a la escuela me preguntaron qué quería ser cuando fuera grande. Yo respondí "FELIZ". Me dijeron que yo no entendía la pregunta, y yo les respondí que ustedes no entendían la vida".

JOHN LENON

La fe todo lo puede, no existen los límites para la persona que tiene fe, las limitaciones las pone tu persona, ni siquiera las pones tú.

Porque eres más que tu persona, como te dije en El Amor de tus Sueños, eres esencia, eres puro amor.

Si te conformas con las etiquetas que te ponen los demás o que tú mismo te has ido poniendo a lo largo de tu vida, no estás eligiendo ser lo que tú sueñas sino lo que tú crees que eres.

A menudo escucho a personas de mi entorno decir que ellas no pueden hacer tal y cual tarea porque ellas no están preparadas, o porque no tienen estudios o porque no tienen cultura.

Ellos mismos se están limitando porque tú puedes ser lo que quieras ser.

¿Qué ha pasado con tus sueños de cuando eras un niño? ¿Verdad que entonces no te planteabas si podías o no? Tenías muchos sueños y no te planteaste que no se cumplieran, vivías en un mundo de ilusión que te habías creado y donde todo era posible.

¿Qué ha cambiado? Y me responderás que ya no eres un niño, ¿eso crees?

Claro que eres un niño, siempre lo has sido, ese niño sigue en tu interior y está triste por ese disfraz de adulto que te has puesto, y porque te has olvidado de perseguir tus sueños.

La madre Teresa de Calcuta respondió así cuando le hicieron esta pregunta: "¿Qué hace todos los días en las calles de Calcuta para cumplir su misión?". Ella contestó: "Todos los días veo a Jesucristo con todos sus angustiosos disfraces".

Desde pequeño ya empezaron a decirte lo que puedes y no puedes hacer, y de lo que eras o no capaz de conseguir y tú te lo fuiste creyendo.

Ahí afuera hay personas con un talento increíble y por miedo, y por sus limitaciones lo tienen escondido, trabajando en empleos donde solo están para ganarse el dinero y poder vivir.

¿Es tu caso? ¿por qué no estás ahora trabajando en lo que te gustaría? ¿La edad, no hay trabajo, necesitas dinero, no sabes hacer otra cosa?

La respuesta a todas a esas preguntas son creencias que tienes, no es la verdad.

Tienes mucho potencial en tu interior esperando a que lo descubras y te beneficies de él.

Has nacido con una misión en la vida, cierra los ojos un momento y vuelve a cuando eras un niño, ¿qué te gustaba hacer? ¿Qué hacías mejor? ¿Cuál era tu pasión?

Amado lector, mientras haya vida, nunca es tarde para alcanzar y vivir la Vida de tus Sueños.

Tienes mucho por entregar al mundo, descúbrelo, la vida te pide que despiertes, que te muevas. Si no te gusta lo que haces, si te cuesta levantarte cada mañana, no te quedes sin hacer nada. Ponte a buscar un trabajo que te guste, enfócate en algo que sepas hacer y que pueda ayudar a más gente. Saca fuera todo ese potencial.

Puede que tengas un puesto de trabajo que te permite ganar mucho dinero y vivir una vida cómoda pero donde no te sientes pleno, y estás deseando que lleguen tus vacaciones para salir de ahí pitando, y desconectar de todo eso.

No tienes que desconectar, amado lector, **lo que te aconsejo es que conectes contigo mismo, conecta con tu interior, escucha a tu corazón y síguelo.** Por estar viviendo una vida cómoda, estás incómodo contigo, estás desobedeciendo a esa voz que te está llamando desde dentro y te dice que cambies esa situación.

Si no es el caso, y tu trabajo solo lo tienes para poder vivir, y necesitas ese dinero, tienes que empezar a creer en ti, muévete y busca por todas partes, y no pares de buscar, porque el que busca, al final encuentra.

Conecta con el poder de tu interior, conecta con el poder de la intención como bien explica Wayne Dyer. Tú puedes elegir ser lo que quieras ser.

Gracias a tu imaginación y el poder de la intención puedes crear la vida de tus sueños, al igual que lo hacías cuando eras un niño.

Para conseguirlo deberás aplicar las siete caras de la intención que son: la creatividad, la bondad, el amor, la belleza, la expansión, la abundancia infinita y la receptividad. Volveré a hacer referencia a ellas en los siguientes capítulos. **Según William Blake, con la imaginación tienes el poder para ser cualquier cosa que desees ser.** Así describe la imaginación:

"¡No descanso de mi gran tarea!
Abrir los Mundos Eternos,
Abrir los inmortales Ojos del Hombre
Hacia los Mundos del Pensamiento,
A la eternidad, la expansión que no cesa
En el Seno de Dios,
La Humana Imaginación.

(JERUSALÉN)

Si tu imaginación no te acompaña, por mucho en que te empeñes en hacer o alcanzar algo, no lo conseguirás.

A menudo tu ego te está diciendo que debes hacer esto o aquello para alcanzar una meta y competir con las demás personas. El ego es competitivo y te aleja del poder de la intención.

Si tu objetivo es ser mejor y ganar al que está al lado es porque crees que no hay para todos en este universo y por eso compites. Pero no es así, el universo es infinito y brinda posibilidades infinitas para que tú selecciones la que sueñas.

Si piensas que no puedes cambiar tus circunstancias y que tienes que conformarte con lo que te ha tocado vivir, no podrás hacer realidad tus sueños por mucho que los visualices, porque te estarás contradiciendo.

Empieza a creerte que puedes conseguir la vida que tanto has soñado cuando te conectes con el poder de tu interior, con tu verdadera esencia. Tienes que creértelo y sentir que lo mereces.

No te creas menos que nadie, pero tampoco te creas más, porque si te crees superior, es el ego el que te está dominando, por lo que te alejarás de tu poder para hacer realidad tus sueños.

No te conformes con lo que "te toca vivir", como dices muchas veces. Tu vida no es una lotería que te toque al azar, tú eres el responsable de tu vida, con cada pensamiento que tienes, y has tenido, lo materializas en tu realidad, sea bueno o malo.

Si crees que mereces más, pero te pones límites pensando que no puedes o no te ves capaz de conseguirlo, no lo conseguirás.

En cambio, **si reconoces lo que vales, el miedo deja de interponerse en tu camino, porque el amor hacia ti y hacia todo lo disipa.**

No sé si conoces la película *Jefa por accidente* de Jennifer López, pero te cuento un poco para ponerte en situación.

Jennifer López, trabaja como vendedora de productos de cosmética en unos almacenes y aspira a ser jefa de departamento. Sin embargo, le dan el puesto a un hombre que, aunque tiene estudios, no está preparado ni familiarizado con la cosmética. Jennifer, a través de un curriculum falso que se inventa un familiar, donde pone su gran carrera universitaria y empresarial, accede a un puesto de asesora en una gran multinacional. Llega a lanzar un producto innovador para la empresa ganando hasta a sus competidores, todos con estudios.

Con esto quiero decirte que no importa cuántos estudios tengas, o si no pudiste acceder a ellos por algún motivo, **tienes la capacidad de lograr todo lo que te propongas siempre que creas en ti.**

Muchas veces, te has visto inferior a otra persona, porque crees que no puedes ser como ella, y admiras algo que te falta, pero si confías en ti, tú puedes tener lo que te propongas si no te quedas parado, claro está.

No puedes ser como otra persona, porque tanto tú como el otro sois únicos y diferentes, pero **puedes conseguir alcanzar ese puesto de trabajo, esa pareja de tus sueños o esa vida de tus sueños que tanto anhelas.**

No le pongas "peros" a tu vida, "me gustaría ser de otra manera, PERO...", "me gustaría estar al lado de la pareja de mis sueños, PERO...", "me gustaría estar en otro trabajo, PERO..."

Te pasas la vida poniendo continuamente el freno, creyéndote menos y conformándote con menos.

¿Te sientes feliz contigo mismo? ¿Vives una vida plena? ¿Quién te lo impide?

Amado lector, ahora estás en este viaje de la vida, y esta vida es para vivirla, no para sufrirla, ni para quejarte.

Tienes un poder interior capaz de afrontar y transformar las circunstancias que se te presentan.

Cada amanecer tienes una nueva oportunidad de elegir quién quieres ser, el único que te detiene eres tú.

RECUERDA:

♡ Si te conformas con las etiquetas que te ponen los demás o que tú mismo te has ido poniendo a lo largo de tu vida, no estás eligiendo ser lo que tú sueñas sino lo que tú crees que eres.

♡ Desde pequeño ya empezaron a decirte lo que puedes y no puedes hacer, y de lo que eras o no capaz de conseguir y tú te lo fuiste creyendo.

♡ Tienes mucho potencial en tu interior esperando a que lo descubras y te beneficies de él.

♡ Tienes mucho por entregar al mundo, descúbrelo, la vida te pide que despiertes, que te muevas.

♡ No tienes que desconectar, lo que te aconsejo es que conectes contigo mismo, conecta con tu interior, escucha a tu corazón y síguelo.

♡ Conecta con el poder de tu interior, conecta con el poder de la intención como bien explica Wayne Dyer. Tú puedes elegir ser lo que quieras ser.

♡ Según William Blake, con la imaginación tienes el poder para ser cualquier cosa que desees ser.

♡ Empieza a creerte que puedes conseguir la vida que tanto has soñado cuando te conectes con el poder de tu interior, con tu verdadera esencia.

♡ No te creas menos que nadie, pero tampoco te creas más

♡ No te conformes con lo que "te toca vivir".

♡ Si reconoces lo que vales, el miedo deja de interponerse en tu camino, porque el amor hacia ti y hacia todo lo disipa.

♡ Tienes la capacidad de lograr todo lo que te propongas siempre que creas en ti.

♡ Puedes conseguir alcanzar ese puesto de trabajo, esa pareja de tus sueños o esa vida de tus sueños que tanto anhelas.

AMA LO QUE HACES

"Si no haces lo que amas ni amas lo que haces, tu fuerza de intención se debilita y atraes a tu vida más insatisfacción, algo que no forma parte de la cara del amor. En consecuencia, aparecerán en tu vida más elementos que no amas".

WAYNE DYER

Se nota cuando una persona ama lo que hace, lo habrás notado tú también, ¿verdad?

Las personas que aman lo que hacen se despiertan con una ilusión cada día a pesar de sus circunstancias. Siempre tienen un porqué para seguir caminando hacia sus metas y sueños.

Son personas entusiastas, con sonrisas dibujadas en sus rostros, con ojos brillantes que irradian luz y con palabras llenas de amor y bondad que salen de su boca.

Has estado alguna vez enamorado, ¿verdad? Esa sensación que te mantiene flotando como si tu cuerpo fuese una pluma que vuela por encima de todos los problemas.

Esa es la sensación que vas a experimentar cuando ames lo que haces y cuando te ames a ti primero, ya que cuando sabes apreciar el amor tan puro que hay dentro de ti, tendrás la sensación de estar enamorado de ti mismo y lo proyectarás en todo lo externo, irradiarás luz allá por donde pases.

No es lo mismo levantarte con una ilusión, a levantarte con una queja diaria porque no te sientes feliz con tu vida.

Amado lector, quizás no estés pasando ahora por un buen momento, o quizás sí, pero te gustaría disfrutar plenamente de tu vida.

Para sentirte pleno tienes que ver la belleza en todas partes y en todas las cosas, aun donde creas que no la puede haber.

Deberás amar cada día, mientras te diriges hacia la realización de tus sueños.

Tienes que ser feliz en el trayecto hacia tu meta, porque si no lo haces, cuando llegues a tu meta, tampoco lo serás.

¿Y sabes por qué? Porque la felicidad solo depende de ti, tú decides cada mañana salir allí afuera con una actitud positiva por la vida o seguir quejándote por todo lo que te pase.

No te estoy diciendo que te conformes, pero sí te pido que agradezcas cada día de tu vida lo que ya tienes.

Porque lo más preciado que tienes es tu presente, por eso se llama así porque es tu regalo. El pasado ya no está y el futuro aún no ha llegado. Aprende a disfrutar de este momento.

Sé que son muchas las veces en las que te enfocas en lo que te falta sin apreciar lo que la vida ya te ha regalado.

Sal a la calle cada día sintiéndote agradecido por estar vivo y por todo lo que tienes en tu vida, ama cada actividad que hagas desde que te despiertes por la mañana hasta que te vayas a dormir.

Si lo que vives no es lo que quieres, mantén una actitud positiva y enfócate en lo que quieres conseguir. Imagínate cómo te sentirías viviendo la vida de tus sueños.

Lo que vives hoy, si no es lo que deseas, será pasajero, es solo un billete para el viaje hacia tus sueños.

Enfocarte en lo que te disgusta o no amas, lo único que hará es traerte más situaciones parecidas a tu vida.

Lo que estás viviendo hoy, por muy duro que sea, está ahí para enseñarte algo. Observa qué te trata de decir la vida, no es casualidad que estés viviendo unos momentos dolorosos. Todo tiene una razón de ser.

La vida te pide que crezcas con cada situación y que puedas trascender el dolor, y seas capaz de seguir amando puesto que eres amor en tu esencia.

Cuando te conectes con tu poder interior y sepas reconocer la belleza en una puesta de sol, en las nubes del cielo, en los árboles de tu ciudad, o en los animales que te encuentras, estarás conectado con tu esencia, con el amor verdadero capaz de crear la vida de tus sueños.

Ama cada despertar, aunque sea lunes, muy pronto no te fijarás en el día de la semana que es, porque cada día estarás entusiasmado por vivir la vida de tus sueños.

Ama cada momento del día, aunque se te presenten situaciones difíciles, enfócate en la solución siempre y no en el problema, para que pasen de largo.

Ama a las personas que te encuentres, a menudo vas tan acelerado que se te olvida sonreír a las personas cuando vas por la calle. Y sonríe, aunque no las conozcas, porque no sabes a quién puede alegrarle el día esa sonrisa.

Ama a tus familiares y a los que te rodean.

Ama a la naturaleza, que tantos regalos te da, aunque a veces no los puedas ver, porque vas pendiente de otras cosas.

Ama a los animales, si tienes mascotas podrás comprobar que son puro amor.

Y sobre todo **ÁMATE CADA DÍA DE TU VIDA**.

El amor es la fuerza creadora más poderosa.

RECUERDA:

♡ Las personas que aman lo que hacen se despiertan con una ilusión cada día a pesar de sus circunstancias.

♡ No es lo mismo levantarte con una ilusión, a levantarte con una queja diaria porque no te sientes feliz con tu vida.

♡ Para sentirte pleno tienes que ver la belleza en todas partes y en todas las cosas, aun donde creas que no la puede haber.

♡ Sé que son muchas las veces en las que te enfocas en lo que te falta sin apreciar lo que la vida ya te ha regalado.

♡ Lo que vives hoy, si no es lo que deseas, será pasajero, es solo un billete para el viaje hacia tus sueños.

♡ Lo que estás viviendo hoy, por muy duro que sea, está ahí para enseñarte algo

♡ Conéctate con tu esencia, con el amor verdadero capaz de crear la vida de tus sueños.

♡ Ama cada despertar

♡ Ama cada momento del día

♡ Ama a las personas que te encuentres

♡ Ama a tu familia

♡ Ama a la naturaleza

♡ Ama a los animales.

♡ ÁMATE TÚ PRIMERO CADA DÍA DE TU VIDA

TU VIDA ESTÁ PARA VIVIRLA

"Vive la vida que amas, ama la vida que vives".

BOB MARLEY

¿Cuántas veces has dicho cuando tenga esto que deseo estaré más feliz, cuando cambie de trabajo estaré más feliz, cuando esté con la persona que amo estaré más feliz, cuando tenga mucho dinero, estaré más feliz, cuando lleguen vacaciones estaré más feliz?

Y así te pasas tu vida esperando algo o que se dé una determinada situación para SER MÁS FELIZ.

Tu vida no espera, amado lector, **si te pasas la vida esperando lo único que vas a ver pasar es tu propia vida.**

Cada día de tu vida es una nueva oportunidad para elegir ser feliz.

Si esperas a tener algo o alguien para que te aporten felicidad es porque sientes un vacío en tu interior, una carencia que deseas llenar.

Pero ¿sabes qué? Cuando tengas eso que tanto deseas, tampoco serás feliz, porque el vacío de tu interior solo puedes llenarlo tú mismo con el AMOR que eres.

No disfrutas el momento porque estás pensando en lo que te falta, sin ser consciente de que tienes un poder ilimitado en tu interior capaz de generar abundancia en tu vida tanto en salud, como en el dinero y el amor.

Tu vida te pide que vivas cada día con la intención de que, lo que quieres ver o tener, ya está en tu vida, ya es tuyo.

¿Verdad que cuando vas a un restaurante no te preocupas de si va a haber comida o no? Vas allí y sabes que vas a comer, y además vas a elegir lo que más te guste, sin tener que preocuparte por nada.

La vida quiere que salgas a la calle como si te dirigieras a ese restaurante, tú ya pediste y lo vas a tener, mientras disfruta de cada instante, porque cada momento que se te escape de tu vida, no lo vas a poder recuperar, porque la vida sigue fluyendo.

Estás tan preocupado por lo que quieres alcanzar que a veces se te olvida vivir, disfrutar de las personas que quieres, regalarles un poco de tu tiempo, aunque estés enfocado en tus sueños y te pongas metas, disfruta de los increíbles momentos que te regala la vida.

Has pasado por muchos momentos amargos, pero al final solo se quedan los recuerdos más dulces, y cuando se te vienen esos recuerdos, piensas, ¿por qué no los pude aprovechar más en su momento?

Ahí aparece la nostalgia, ya que en aquel momento no veías la grandeza de lo que tenías, y estabas enfocado en lo que te faltaba.

O simplemente no aprecias los regalos de la vida o las situaciones felices que vives, pensando que siempre van a estar ahí y te pertenecen.

Pero no es así, porque **la vida es un ciclo donde nada es permanente, todo sube, se estabiliza, baja y vuelve a subir.**

Tienes que aprender a aceptar cada etapa de tu vida y saber que todo es pasajero.

Si estás pasando por un buen momento, disfrútalo al máximo y agradécelo.

Si estás pasando por un momento amargo, acéptalo, expresa tus emociones, y pronto pasará y te vendrán muchas vivencias mejores.

Pero no intentes huir del dolor, enfréntalo, porque si huyes te va a perseguir. Enfrenta ese dolor, gánale ese pulso al miedo, y sigue haciéndote más fuerte y creciendo en cada batalla.

Recibes mucho más cuando eres capaz de reaccionar de forma diferente ante los obstáculos en tu vida.

Si todo fuese color de rosa, y la vida no te pusiera pruebas ¿cómo crecerías?, ¿cómo te harías más fuerte? Te haces más grande a través de superar el dolor.

Y cuando lo superas, saboreas tu vida con más intensidad.

¿Cómo puedes apreciar el sabor de un pastel de chocolate si lo comes todos los días?

Sin embargo, qué ilusión y qué bien te sabe cuando lo vuelves a comer después de un tiempo.

Así es la vida, pasas por situaciones difíciles que no entiendes pero que siempre te enseñan algo y te hacen más fuerte.

Para después entregarte tu regalo en forma de sueños cumplidos, ya que eres una persona que nunca te has rendido y que sabes aceptar las situaciones de tu vida, y mantener una actitud positiva.

Vive cada día agradeciendo y recibirás más.

Disfruta con los regalos que te brinda la vida, y te regalará más.

Reparte mucho amor, y lo recibirás multiplicado.

Porque **la vida siempre te dará lo que tu estés dispuesto a entregar.**

Tu vida está para vivirla no para sufrirla.

No salgas a la calle pensando en que vas a luchar en una batalla, porque si piensas así, así será.

Sal a la calle pensando en que la vida de tus sueños está ahí esperándote.

La vida a veces duele, a veces te hiere, a veces te golpea, te hace pasar por situaciones difíciles, sin embargo, observa la luna, fíjate en el sol, mira los árboles y las plantas en el campo, observa a los animales, ¿has visto a alguno quejarse por la vida? Viven el momento, no huyen de la tormenta, aprenden a vivir en ella y cuando pasa, vuelve a brillar el sol, la luna sigue ahí en las noches, los árboles y las plantas en el campo, y ningún animal se rindió, siguió caminando.

¿Por qué te empeñas siempre en pensar en lo que te falta y enfocarte en las situaciones dolorosas?

¿Acaso una tormenta ha durado eternamente?

El sol siempre vuelve a brillar con más fuerza aún.

Aprende a vivir en el día de hoy, como lo hace el sol, la luna, la naturaleza, los animales, ahí están cada día, haga sol, llueva o truene.

Aprovecha y vive cada día como si fuese el último pues no sabes el tiempo que tienes.

Deja una marca en tu vida, ayuda a los demás, contribuye a fomentar la paz en el mundo, y a contagiarnos unos a otros la felicidad.

"No vivas para que tu presencia se note, sino para que tu ausencia se sienta".

Bob Marley

Haz que tu paso por este mundo cuente, tienes mucho que aportarle al mundo, aunque no lo hayas descubierto aún. Has nacido con una misión, las pruebas que te ha ido poniendo la vida no eran para que sufrieras, sino para que despertaras, porque eres mucho más de lo que crees, o de lo que te han dicho que eres.

Imagínate viviendo la Vida de tus Sueños, ¿por qué no te arriesgas y la haces realidad?

RECUERDA:

♡ Tu vida no espera, si te pasas la vida esperando lo único que vas a ver pasar es tu propia vida.

♡ Cada día de tu vida es una nueva oportunidad para elegir ser feliz.

♡ Tu vida te pide que vivas cada día con la intención de que, lo que quieres ver o tener, ya está en tu vida, ya es tuyo.

♡ Estás tan preocupado por lo que quieres alcanzar que a veces se te olvida vivir

♡ La vida es un ciclo donde nada es permanente, todo sube, se estabiliza, baja y vuelve a subir.

♡ Tienes que aprender a aceptar cada etapa de tu vida y saber que todo es pasajero.

♡ Vive cada día agradeciendo y recibirás más.

♡ La vida siempre te dará lo que tu estés dispuesto a entregar.

♡ Sal a la calle pensando en que la vida de tus sueños está ahí esperándote.

♡ Aprovecha y vive cada día como si fuese el último pues no sabes el tiempo que tienes.

♡ Haz que tu paso por este mundo cuente, tienes mucho que aportarle al mundo.

ARRIÉSGATE PARA GANAR

"Sólo imagina lo precioso que puede ser arriesgarse y que todo salga bien".

Mario Benedetti

¿Cuántas veces has tenido la oportunidad de darle un giro a tu vida y la has perdido por miedo o por comodidad?

Piensas que ya vendrán otras oportunidades y te dices ya cogeré la siguiente, pero como dice la palabra será "otra oportunidad" no la misma.

¿Y si esa oportunidad es la que te va a traer la Vida de tus Sueños y la estás dejando escapar?

¿Qué es lo que te frena a la hora de tomar una decisión?

SI QUIERES GANAR, ARRIÉSGATE.

Nadie triunfa estando cómodo en su casa, nadie triunfa viviendo lo malo conocido que lo bueno por conocer.

¿Has escuchado esta frase verdad?

"Mejor es lo malo conocido que lo bueno por conocer", y con esta frase justificas casi todo en tu vida.

Estoy con mi pareja que, aunque no me sienta del todo bien, pero, "mejor es lo malo conocido que lo bueno por conocer". Y mantienes una relación de pareja engañándote a ti y a tu pareja.

O estás en un trabajo que te da el dinero para vivir e ir tirando pero que te estresa, te absorbe y estás deseando de salir de allí pitando, pero dices "mejor es lo malo conocido que lo bueno por conocer". Y te quedas ahí sin hacer nada porque piensas que no vas a encontrar un trabajo mejor. Si piensas eso, claro que no lo vas a encontrar. Pero en cuanto te decidas a dar el primer paso con la convicción de que no vas a parar hasta que encuentres otro trabajo, te garantizo que el universo te va a apoyar.

La vida premia a los que no se rinden, a los que no se conforman, a los que van a por sueños y los hacen realidad, pase lo que pase.

Amado lector, me pasé muchos años de mi vida aplicando esta frase, "mejor es lo malo conocido que lo bueno por conocer", y te garantizo que solo me trajo infelicidad a mi vida y estancamiento.

Creía que me tenía que conformar con la pareja que tenía en ese momento, aunque no estuviese feliz, podría ser peor...fíjate qué barbaridad. Y sé que tú puedes estar pasando por esta situación.

Cuando aprendes a amarte y a valorarte, no te conformas con relaciones que no te aportan, no toleras conductas que no te mereces, y eliges a las personas que te hacen crecer, y ellas te eligen también a ti. Por la ley de atracción, "atraes lo que eres".

Si no te gusta algo en tu vida, ahora es el momento de cambiarlo, ARRIÉSGATE.

Si no haces nada, ahí te vas a quedar viviendo y haciendo siempre lo mismo.

Y al final si no te arriesgas, vas a ver cómo pasa tu vida, y lamentarás no haberte hecho responsable de ella.

¿Qué miedos te impiden cambiar de rumbo? ¿Cuáles son las creencias que te han estado limitando diciéndote que no podías?

Por ejemplo, he tenido la creencia durante mucho tiempo que en las relaciones se sufría, lo que me ha jugado malas pasadas a lo largo de mi vida. El amor en pareja no es sufrimiento, sin embargo, la falta de amor hacia ti mismo, sí es la responsable de generar esas relaciones de dependencia que te llevan al sufrimiento cuando pasas por una ruptura.

Me acuerdo un verano donde un chico se interesó por mí y quiso venir a conocerme. Él vivía en otra ciudad, aun así, iba a tener el detalle de venir a verme.

Me entró tal pánico, que mis antiguas creencias salieron a la luz, y empecé a generar pensamientos negativos y a crear una situación que solo era real en mi mente.

Sin ni siquiera haber conocido a este chico, mi mente me había convencido de que estaba riéndose de mí y de que no serviría para nada conocerlo.

LA MENTE ES DESTRUCTORA DE SUEÑOS.

Posiblemente, la vida me estaba brindando la oportunidad de conocer a una persona extraordinaria, pero mi mente se interpuso, y en aquel momento, yo no estaba conectada con mi verdadera esencia, y terminó ganando mi mente.

Ese tren pasó, y aunque intenté volver a subirme, ya no pude.

¿Cuántos trenes vas a dejar que se escapen por tus miedos?

"Hay trenes que solo pasan una vez en la vida", como me ha dicho siempre mi madre.

Cuando se te presente una oportunidad, en cualquier área, trabajo, amor, cambio de residencia, ARRIÉSGATE.

Pero arriésgate guiándote por tu corazón.

LO QUE TE DÉ MIEDO, HAZLO, me dijo de pequeña un médico y nunca olvidé esta frase.

La vida te ofrece las oportunidades, pero si no las coges, pasan a la siguiente persona.

Después de aquel tren, ya no volví a dejar que se me escapara ninguno.

Y te estarás preguntando, **¿cómo sé que me subo al tren correcto?**

El camino correcto es el que más miedo te da porque no es el más fácil ni el más bonito al principio.

El camino correcto consiste en salirte de tu zona de comodidad, de dejar lo que conoces, por algo que desconoces, pero aun así tu corazón te está haciendo señales para que lo sigas.

El camino correcto no es que se te presente una oportunidad en un trabajo donde te hagas millonario de la noche a la mañana, ni tampoco es que te toque la lotería, porque cuando consigues algo así de fácil y no eres millonario ni te has preparado para serlo, al igual que entra ese dinero, va a salir en cuestión de un tiempo, que no será demasiado.

Porque cuando consigues algo sin haberte esforzado ni que te haya dolido, no le prestas tanta importancia, empiezas a gastarlo en placeres a corto plazo, y terminas por perderlo.

Conozco grandes empresas del comercio textil que se han arruinado, cuando la figura principal, el padre o la madre que la fundaron, les han dejado la herencia a los hijos.

Los hijos al verse al frente de una empresa importante que no les ha costado ningún esfuerzo, se han despreocupado llevando a sus padres a la ruina, y concretamente conozco dos casos, en los que fue tal el dolor del padre que le causó una enfermedad que lo llevó a la muerte.

Y te hablo de estos ejemplos porque los conozco al estar al frente de mi tienda de ropa.

Cada vez que los hijos toman el relevo de los padres, como ellos no han trabajado duro como sus antecesores, acaban por cerrar la empresa, porque no están preparados para ser millonarios, y malgastan todo el capital.

Así sucede con la lotería, con las grandes herencias, y con los negocios que te prometen ganar dinero fácil.

Eso no es una oportunidad, **NADA QUE MEREZCA LA ALEGRÍA ES FÁCIL Y RÁPIDO.**

Para tener La vida de tus Sueños tienes que pagar un precio, y no me refiero solo al dinero.

En el tema de relaciones, veo muchos matrimonios y parejas que están juntos por el simple hecho de estar. De puertas para afuera, quieren dar la imagen de que todo está perfecto, sin embargo, de puertas para adentro, no hay amor entre ellos.

Se están autoengañando.

Y están perdiendo la oportunidad de cambiar su vida si no son felices con la que están viviendo.

161

¿Cómo sabes si haces lo correcto en este caso?

Lo más importante y que te va ayudar a tomar decisiones y arriesgarte en tu vida, es el AMOR.

EL AMOR PUEDE CON TODO.

Cuando seas capaz de amarte y valorarte como nunca jamás lo hayas hecho, serás capaz de lo que te propongas, porque el amor vence al miedo.

¿Verdad que por amor a tus hijos harías lo que fuera?

¿Verdad que cuando estás enamorado harías lo que fuera?

Esa es la sensación, así te debes sentir contigo mismo, **ENAMORÁNDOTE DE TI, SERÁS CAPAZ DE ATRAER TUS SUEÑOS.**

Fíjate cuando dices, "lo hice por amor", y ni tú te lo crees lo que llegaste hacer por amor, porque en ese estado, TODO LO PUEDES.

Como te cuento en mi segundo libro La Pareja de tus Sueños, envié una carta al Universo pidiendo un chico extraordinario.

Ya sabes que lo que pides, se hace realidad si tienes fe y vives como si ya estuviera aquí, pero para todo hay que pagar un precio.

Me pasé 10 años sin subirme a un avión porque le había cogido miedo.

Este chico extraordinario resultó vivir fuera de la península, con lo cual estuve cogiendo aviones casi cada mes.

El amor venció al miedo.

Y así te va a pasar a ti cuando te conectes con todo el amor que tienes dentro, con el Amor puro que eres en tu esencia.

Arriésgate cuando así te lo pida tu corazón.

Sigue tu intuición, el miedo es la señal de que vas a salir de tu zona de comodidad, y es la prueba que tendrás que superar para conseguir la Vida de tus Sueños.

ARRIESGATE PARA GANAR.

Cuando te arriesgues siempre vas a ganar, aun cuando no consigas lo quieres, la vida te ha dado una nueva oportunidad para crecer, y evolucionar, y estar un paso más cerca de la vida que mereces.

Cada paso al frente, es una nueva oportunidad para crecer y hacer realidad tus sueños.

LA VIDA DE TUS SUEÑOS SE ENCUENTRA AL OTRO LADO DEL MIEDO.

Acompáñame que te lo muestro...

RECUERDA:

♡ Nadie triunfa estando cómodo en su casa, nadie triunfa viviendo lo malo conocido que lo bueno por conocer.

♡ La vida premia a los que no se rinden, a los que no se conforman, a los que van a por sueños y los hacen realidad, pase lo que pase.

♡ Si no te gusta algo en tu vida, ahora es el momento de cambiarlo, ARRIÉSGATE.

♡ Si no haces nada, ahí te vas a quedar viviendo y haciendo siempre lo mismo.

♡ LA MENTE ES DESTRUCTORA DE SUEÑOS.

♡ "Hay trenes que solo pasan una vez en la vida"

♡ LO QUE TE DÉ MIEDO, HAZLO,

♡ La vida te ofrece las oportunidades, pero si no las coges, pasan a la siguiente persona.

♡ El camino correcto es el que más miedo te da porque no es el más fácil ni el más bonito al principio.

♡ El camino correcto consiste en salirte de tu zona de comodidad

♡ El camino correcto no es que se te presente una oportunidad en un trabajo donde te hagas millonario de la noche a la mañana

♡ NADA QUE MEREZCA LA ALEGRÍA ES FÁCIL.

♡ Para tener La vida de tus Sueños tienes que pagar un precio

♡ Lo más importante y que te va ayudar a tomar decisiones y arriesgarte en tu vida, es el AMOR.

♡ EL AMOR PUEDE CON TODO.

♡ ENAMORÁNDOTE DE TI, SERÁS CAPAZ DE ATRAER TUS SUEÑOS.

♡ Arriésgate cuando así te lo pida tu corazón.

♡ Sigue tu intuición, el miedo es la señal de que vas a salir de tu zona de comodidad, y es la prueba que tendrás que superar para conseguir la Vida de tus Sueños.

♡ Cada paso al frente, es una nueva oportunidad para crecer y hacer realidad tus sueños.

SUPERA LOS MIEDOS

"El que ha superado sus miedos, será verdaderamente libre".

ARISTÓTELES

El miedo es una emoción que ha acompañado al ser humano siempre. Cuando se activa tu miedo es porque intenta alertarte de alguna situación para protegerte.

Tanto el miedo como el amor son creadores, sin embargo, el amor verdadero siempre vence al miedo.

El amor viene de tu Fuente, de tu esencia, de tu Ser.

El miedo viene de tu ego.

Desde que naces has ido desarrollando una serie de miedos para protegerte en las diferentes etapas de tu vida.

Fuiste poniendo capas a tu corazón y fueron apareciendo los miedos.

Los más comunes, el miedo a la muerte, el miedo a la soledad, el miedo a no ser libre, el miedo a la enfermedad y el miedo al desprecio.

Ante cualquier tipo de miedo, tú vas a reaccionar huyendo, si es posible, evitándolo, atacándolo o haciéndole frente.

¿Sabes qué reacción te hará vencer a tus miedos?

ENFRENTÁNDOLOS.

No salgas huyendo, o te perseguirán.

Si te enfocas en todo el amor que eres podrás vencer cualquier miedo.

Los miedos aparecen cuando estás más conectado a tu ego que a tu esencia.

1. EL MIEDO A LA MUERTE

"Cuando la muerte se precipita sobre el hombre, la parte mortal se extingue; pero el principio inmortal se retira y se aleja sano y salvo".

PLATÓN

Nadie se libra de la muerte, ¿verdad? Pero aquí te voy a presentar dos formas para que elijas la que mayor paz y tranquilidad te aporte en tu vida.

Si consideras que eres un ser humano con un cuerpo y que dentro de este puede haber un ser espiritual, ya sabrás que tu cuerpo tiene fecha de caducidad, no sabes cuándo, pero llegará.

Si consideras que eres un alma que ha elegido el cuerpo que tienes para vivir esta vida, sabrás que el cuerpo tendrá también fecha de caducidad, pero que tu alma nunca morirá.

La primera opción, si piensas que solo eres un cuerpo, te llevará a sentir miedo por la muerte, porque piensas que después no habrá nada.

La segunda opción, donde tu alma siempre está viva y pertenece al infinito, te dará tranquilidad.

Tienes la opción de elegir.

Pero si no crees que existe una fuerza superior, y que todos procedemos del mismo lugar y volvemos al mismo lugar, es contradictorio que estés ahora mismo leyendo este libro.

Si estás aquí es porque no te conformas con lo que te han dicho qué es la vida, porque sabes que hay algo más que se te ha escapado a simple vista.

Puedes creerlo o no, pero lo esencial pasa desapercibido por tu vista.

Cuando tomes conciencia de que formas parte de un Universo infinito y que tú procedes de él, empezarás a enfocarte más en el amor que eres y que tienes dentro, y vencerás a cualquier miedo.

¿Cómo superar la muerte de un ser querido?

"La muerte no existe, la gente solo muere cuando la olvidan; si puedes recordarme siempre estaré contigo".

ISABEL ALLENDE

Nadie se libra de pasar por este duelo.

Sé sin conocerte que has pasado por momentos muy difíciles en tu vida, si no fuese así, no estarías leyendo sobre la Vida de tus Sueños.

Cuando te llega un momento tan amargo en tu vida como la muerte de un ser querido, intentas buscarle el sentido a tu vida, y cuestionarte y darle importancia a muchos temas que antes no habías prestado atención.

A veces no te das cuentas de lo que tienes hasta que lo pierdes.

169

Por eso es tan importante vivir el momento presente y amar a nuestros seres queridos como si fuese el último día de nuestras vidas o su último día, en el que los vamos a ver en cuerpo presente.

Tienes que pasar por un duelo, en el que es necesario expresar tus emociones y experimentar ese dolor, sin permitir que ese dolor se adueñe de todos tus días.

Ahora estarás pensando que ese dolor siempre va a acompañarte en tu corazón, pero permíteme que te alivie, y te diga algo.

El dolor viene porque no vas a ver a esa persona más físicamente, pero sí que la vas a sentir porque solo muere el cuerpo, su alma te acompaña.

Las personas abandonan su cuerpo físico, pero su alma sigue viva. Su alma es la que le ha dado vida a su cuerpo.

Entiendo tu dolor, porque no lo puedes volver a tocar ni ver, pero sí lo vas a poder ver con otros ojos, con los del corazón.

En tu vida tienes muchos ángeles de la guarda guiándote, son seres de luz que iluminan tu camino.

Tú piensas que se han ido, pero están contigo a cada paso que das, y se ponen tristes cuando tú lo estás. Estos ángeles quieren que seas feliz, y disfrutes de tu paso por la vida con las demás personas que te rodean.

Al final del camino te encontrarás con ellos, mientras, debes tener en tu pensamiento que nunca se fueron, porque su alma sigue contigo.

¿Prefieres seguir sufriendo pensando en que ya no están o prefieres seguir creyendo que nunca te han dejado?

No puedo convencerte de nada, pero sí te digo que tengo varios ángeles de la guarda, y que si leíste mi primer tomo El Amor de tus Sueños, sabes a lo que me refiero.

NUNCA PIERDAS LA FE, NO MUERES SOLO CAMBIAS DE FORMA.

SI PUEDES RECORDARLOS, NUNCA MUEREN, ESTÁS UNIDO A ELLOS.

2. EL MIEDO A LA ENFERMEDAD

"La enfermedad es una experiencia de la llamada mente mortal. Es miedo que se manifiesta en el cuerpo".

MARTIN LUTHER KING

Si le temes a la muerte porque piensas que cuando mueres no hay nada más, el miedo a la enfermedad es inevitable.

Aquí aparece el miedo a la mutilación, a perder alguna parte de tu cuerpo, el ser humano quiere proteger su integridad, es un instinto universal del ser humano.

Hay personas que tal es este miedo a la enfermedad que ellas mismas atraen las enfermedades a su vida.

¿Te has fijado en las personas que tienen siempre un dolor de algún tipo y siempre hablan de lo enfermas que están?

Su propio temor y el hablar de su enfermedad le lleva a expandirla aún más, por lo que no salen de una cuando ya están sufriendo de nuevo.

En lo que estés enfocado a lo largo del día es lo que vas a ver manifestado en tu realidad.

Haz la prueba y fíjate en las personas que te rodean, ¿qué conversaciones tienen normalmente? ¿cómo son sus vidas?

Si ahora no estás disfrutando de buena salud, empieza a tener pensamientos que te lleven a recuperar tu vitalidad.

No te centres en tu situación actual, imagínate en tu versión más saludable, y hazlo durante todo el día.

Vas a ver cómo tu estado de ánimo va mejorando, y cuando mejora tu actitud, todo se transforma.

No tienes que creerme, solo tienes que comprobarlo.

Los miedos solo sirven para paralizarte.

3. EL MIEDO A LA SOLEDAD

"El camino del guerrero empieza por la soledad".

¿Te satisfacen las relaciones que tienes hoy con los demás? ¿Disfrutas de tu relación con tu cónyuge? Si no es así, ¿por qué no estás haciendo nada para cambiar esa situación? ¿Tienes miedo a la soledad?

Amado lector, cuántas veces he pasado por relaciones de pareja conformándome con menos de lo que merecía, y siendo yo la única responsable de tolerarlo.

Mi temor a quedarme "sola" me hacía conformarme con el mínimo aprecio o muestra de cariño que recibiera, puesto que me encontraba tan falta de amor, que lo busqué desesperadamente allá afuera durante muchos años.

Al relacionarme desde la necesidad de recibir amor, porque dentro de mí tenía un vacío, solo atraía a chicos con los que me sentía más vacía aún, generándome una dependencia, ya que exigía en la otra persona el amor que yo no sabía entregarme a mí misma. ¿Te has sentido alguna vez así?

Si temes a la soledad, si crees que no vas a encontrar a un compañero o compañera de viaje que camine junto a ti y en la misma dirección, te estás conformando con menos de lo que la vida quiere entregarte.

Como bien dice el refrán "MEJOR SOLO, QUE MAL ACOMPAÑADO".

¿Por qué te aferras a alguien que no es para ti, por qué te aferras a amistades que te causan más dolor que alegrías, por qué sigues pensando que no hay nadie allí afuera mejor para ti?

¿Prefieres vivir mal acompañado y frustrado el tiempo que te quede en esta vida, perdiéndote la Vida que verdaderamente mereces?

El ser humano incluso antes de nacer forma parte de un todo, está conectado a una fuerza superior de la que todos formamos parte.

Por lo tanto, antes, durante y después de nacer tienes ese sentido de pertenencia a algo más.

Necesitas relacionarte pues todos formamos parte de ese eslabón y estamos a su vez interconectados.

Entiendo que necesites relacionarte con más personas, pero tú eres el responsable de elegir tu compañía.

En tu vida, tienes lo que eres capaz de tolerar.

Si te conformas con lo que tienes, nada va a cambiar en tu vida.

Pero en el momento en que te empieces a amar y valorar y aprendas a apreciarte, vas a ser como un imán y atraerás a ti las personas correctas que le aportarán más valor a tu vida, puesto que serán personas que te sumen y con las que vas a crecer.

No debes tener miedo a la soledad, porque nunca has estado solo, perteneces a una fuerza superior, a mí me gusta llamarle Dios, como ya sabes.

Dios está contigo en cada paso que das, él intenta comunicarse contigo para que abras los ojos, y salgas de esa situación que te está impidiendo ser feliz y avanzar en tu vida.

La soledad es necesaria para aprender a amarte y conectarte con tu interior.

A menudo estás tan preocupado por lo que pasa allá afuera que te has olvidado de ti, y tú eres la única persona que va a estar hasta el día de tu partida contigo.

Así que ¿por qué le temes a la soledad?

Cuando conoces el amor que está en ti, nunca volverás a sentirte solo.

No te conformes con compañías que no te aporten nada, ámate, valórate y la mejor compañía vendrá a ti.

Eres valiente, has pasado por batallas difíciles y las has superado, ¿a qué temes entonces?

4. EL MIEDO A PERDER LA AUTONOMÍA. (MIEDO AL COMPROMISO)

Si el miedo anterior hacía referencia a la soledad, aquí el miedo hace referencia al compromiso.

El ser humano busca la libertad.

Tú no quieres vivir una vida como si estuvieras encarcelado, sin poder elegir ni actuar como a ti te gustaría. A menudo veo cómo muchas parejas y matrimonios se separan por este mismo motivo.

Piensan que el amor en pareja los encarcela, porque crean relaciones de dependencia donde una de las personas o las dos necesitan como el aire que respiran a la otra persona para ser felices y eso termina asfixiando a la persona o las personas que lo padecen.

El amor no es una jaula, el amor es libertad.

No libertad para que cada uno pueda estar dentro de una relación con otras personas al mismo tiempo sin consentimiento del otro, a esta libertad no me refiero.

Me refiero a la libertad para que puedan ser ellos mismos sin intentar cambiar al otro, respetando los espacios y los gustos y aficiones de cada persona.

El amor verdadero es aquel que prefiere la felicidad de la otra persona aun cuando su elección no lo incluya en su vida, afirma Jorge Bucay.

Lo demás es todo dependencia.

Si dejas tu felicidad en manos de la otra persona, estás privándote tú mismo de tu libertad, porque le estás otorgando al otro el poder de ser feliz.

Tu amor y tu felicidad no es nada externo a ti.

Tu amor empieza en ti, y tu felicidad la alcanzas en cada paso que das hacia tus sueños.

De esta manera eres libre de elegir a la persona que deseas que te acompañe en este camino, si esta persona te elige a ti también.

Ninguna persona quiere estar atada a nada ni a nadie.

Fíjate en las mariposas, al principio eran orugas, sin embargo, cuando pensaban que era su final, renacieron con unas hermosas alas y echaron a volar.

No tengas miedo, eres libre, tienes alas para volar todo lo alto que quieras.

El miedo te contrae.

La vida te está pidiendo que abras tus alas de mariposa y te expandas.

La Pareja de tus Sueños será aquella que te hará expandirte.

5. EL MIEDO AL DESPRECIO

¿Tratas de agradar siempre a los demás para sentirte valorado y respetado? ¿Tienes miedo de sentir el rechazo de los demás y estás viviendo una vida que no te corresponde con lo que verdaderamente eres?

Durante muchos años tuve miedo a sentirme despreciada, siempre estuve agradando a los demás para encajar y que me aceptaran y me amaran, sin embargo, estaba desgradándome a mí misma.

¿Te ha pasado alguna vez?

Cuando no has aprendido a amarte ni a valorarte como te mereces, sientes este miedo al rechazo, este miedo a no pertenecer a un grupo, a no encajar en el molde en el que viven los demás.

Cuando sabes lo que vales y aprendes a amarte, este miedo desaparece.

Donde hay amor verdadero, no existe el desprecio.

La forma en la que te veas a ti, es cómo los demás te van a ver.

Si piensas que no eres valioso, que no te mereces todo lo mejor, vas a sentir ese rechazo del exterior que es solo una proyección de tu interior.

Por lo tanto, en el momento en el que empieces a apreciarte tú, los demás también lo harán.

6. EL MIEDO A LO DESCONOCIDO.

Como te dije tu mente siempre va a tratar de protegerte, va a ser esa madre que no quiere que te alejes de ella y que no salgas de esa zona de protección y te expongas a lo desconocido.

Para ello siempre te dará argumentos lógicos y racionales que te han convencido muchas veces y que lo seguirán haciendo si tú no das el primer paso, y decides cambiar de rumbo.

Para dar ese paso, pasas por un punto de quiebre donde te duele más quedarte donde estás, que aventurarte en algo que desconoces.

Las personas no cambian porque les va bien la vida, las personas cambian cuando ya les ha dolido bastante, han pisado fondo y deciden que no quieren estar más así. Entonces dan un paso hacia delante y su vida empieza a cambiar.

También pasé por esa situación y hasta que la vida no me exprimió, no pude sacar el jugo que había guardado dentro de mí durante todos estos años.

No esperes a que la vida te agite fuerte para cambiar algo o alguna situación que te está molestando en el presente.

ACTÚA AHORA.

Son muchas veces, las que escucho a personas hablar diciendo que no están bien con sus parejas o en sus matrimonios, pero prefieren estar así porque no saben vivir en soledad, y también piensan que todos los hombres y mujeres al final son iguales. Se quedan ahí inmovilizadas sin dar un paso al frente por miedo a lo desconocido y se están perdiendo un universo de posibilidades por descubrir.

La relación de pareja de tus sueños se encuentra al otro lado del miedo, pero si te quedas inmóvil pensando en que te da miedo salir de la zona donde te sientes "seguro", nunca lo sabrás.

Muchas personas prefieren vivir una vida donde no haya riesgos, donde siempre sigan una misma rutina, vayan a los mismos lugares, incluso tengan miedo de explorar sitios nuevos, solo por el miedo a lo desconocido.

Te pierdes lo maravillosa que es la vida cuando escuchas más a tus miedos que a tus sueños.

Hay personas que son muy perfeccionistas y que su vida se basa en tenerlo todo planificado y estructurado y no pueden salirse de sus planes, sé cómo se sienten estas personas porque también tengo esa parte de perfeccionista.

Pero la perfección procede de tu personalidad, de tu ego, la perfección no te deja que seas espontáneo y, por tanto, frena tu creatividad.

Tu corazón te pide constantemente que explores, que progreses, que te descubras a ti mismo y pongas en práctica tu poder creador. De esta forma, contribuyes a que tus sueños te alcancen antes.

Si siempre pasas por la misma ruta, si haces las mismas actividades, si te relacionas con las mismas personas, no se lo pones fácil al Universo.

¿Qué te impide cambiar de rumbo en tu vida, qué te impide explorar y descubrir una vida nueva?

TU MIEDO AL FRACASO.

Te dices: "si doy este paso, quién me garantiza que tendré éxito", "mejor me quedo como estoy", "mejor lo malo conocido que lo bueno por conocer".

Y con esta forma de hablar estás matando La vida de tus sueños.

No hay fracasos, solo son aprendizajes que te llevan a mejorarte cada día.

Si quieres cambiar algo de tu vida, empieza a actuar de forma diferente.

Lo desconocido puede ser la llave que te abra la puerta a la vida que tanto soñaste.

ATRÉVETE A ABRIR ESA PUERTA HACIA TUS SUEÑOS.

Los miedos proceden de ese acompañante que se encuentra también dentro de ti, y que se llama

EGO. Tu ego es como la vocecita que te impide que estés en conexión con tu Ser, con tu esencia, con el Amor Puro que eres.

Cuando estás conectado con el Amor que hay dentro de ti, emites una energía muy alta que vence a cualquier miedo.

Desde el Amor, desde esa fuente de posibilidades infinitas que eres, puedes crear la vida de tus sueños.

La Vida de tus Sueños siempre ha estado ahí esperando para ti, sin embargo, tu ego muchas veces te ha jugado malas pasadas, y te has visto durante mucho tiempo desconectado, sintiendo ira, rencor, frustración, envidia, celos, todos procedentes de tu ego.

Para crear la Vida de tus Sueños, tienes que conectarte con el Amor, dejar a un lado la preocupación que tantas veces te paraliza, y no te deja disfrutar del momento presente.

Acompáñame que te lo muestro a continuación...

RECUERDA:

♡ Tanto el miedo como el amor son creadores, sin embargo, el amor verdadero siempre vence al miedo.

♡ Los miedos aparecen cuando estás más conectado a tu ego que a tu esencia.

♡ **El miedo a la muerte**

o Las personas abandonan su cuerpo físico, pero su alma sigue viva. Su alma es la que le ha dado vida a su cuerpo.

o En tu vida tienes muchos ángeles de la guarda guiándote, son seres de luz que iluminan tu camino.

o Al final del camino te encontrarás con ellos, mientras debes tener en tu pensamiento que nunca se fueron, porque su alma sigue contigo.

♡ **El miedo a la enfermedad**

o Hay personas que tal es este miedo a la enfermedad que ellas mismas atraen las enfermedades a su vida.

o Si ahora no estás disfrutando de buena salud, empieza a tener pensamientos que te lleven a recuperar tu vitalidad.

o No te centres en tu situación actual, imagínate en tu versión más saludable, y hazlo durante todo el día.

♡ El miedo a la soledad

- o Si temes a la soledad, si crees que no vas a encontrar a un compañero o compañera de viaje que camine junto a ti y en la misma dirección, te estás conformando con menos de lo que la vida quiere entregarte.

- o Entiendo que necesites relacionarte con más personas, pero tú eres el responsable de elegir tu compañía.

- o No debes tener miedo a la soledad, porque nunca has estado solo, perteneces a una fuerza superior.

- o La soledad es necesaria para aprender a amarte y conectarte con tu interior.

- o No te conformes con compañías que no te aporten nada, ámate, valórate y la mejor compañía vendrá a ti.

- o Cuando conoces el amor que está en ti, nunca volverás a sentirte solo.

♡ El miedo a perder la autonomía. (miedo al compromiso)

- o Tú no quieres vivir una vida como si estuvieras encarcelado, sin poder elegir ni actuar como a ti te gustaría.

- o El amor no es una jaula, el amor es libertad.

o La libertad para que podáis ser vosotros mismos sin intentar cambiar al otro, respetando los espacios y los gustos y aficiones de cada persona.

o Eres libre de elegir a la persona que deseas que te acompañe en este camino, si esta persona te elige a ti también.

o No tengas miedo, tienes alas para volar y la relación de pareja es un lugar para expandirte, de lo contrario sería dependencia.

♡ **El miedo al desprecio**

o Cuando no has aprendido a amarte ni a valorarte como te mereces, sientes este miedo al rechazo, este miedo a no pertenecer a un grupo a no encajar en el molde en el que viven los demás.

o Donde hay amor verdadero, no existe el desprecio.

♡ **El miedo a lo desconocido**

o No esperes a que la vida te agite fuerte para cambiar algo o alguna situación que te está molestando en el presente. ACTÚA AHORA.

o Te pierdes lo maravillosa que es la vida cuando escuchas más a tus miedos que a tus sueños.

o No hay fracasos, solo son aprendizajes que te llevan a mejorarte cada día.

o Lo desconocido puede ser la llave que te abra la puerta a la vida que tanto soñaste.

♡ Los miedos proceden de ese acompañante que se encuentra también dentro de ti, y que se llama EGO.

♡ Desde el Amor, desde esa fuente de posibilidades infinitas que eres, puedes crear la vida de tus sueños.

CREA LA VIDA DE TUS SUEÑOS

"Todo el mundo es un genio al nacer, pero el proceso de la vida nos desgenializa".

BUCKMINSTER FULLER, DISEÑADOR DE
LAS CÚPULAS GEODÉSICAS, ARQUITECTO, VISIONARIO

Me puedo imaginar todo lo que se te está pasando ahora por tu mente cuando has leído *Crea la vida de tus Sueños*.

"¡¿Cómo puedes decir eso María, te piensas que tengo poderes mágicos?!"

LA RESPUESTA ES SÍ

Como ya has estudiado mis dos tomos primeros de esta trilogía, conoces que **tienes un poder dentro de ti ilimitado capaz de conseguir cualquier sueño que quieras hacer realidad en tu vida.**

Si aún no te ha quedado claro, voy a hablarte con más detalle en este capítulo de tu poder creador para que puedas hacer realidad la vida que tanto soñaste.

Me pasé muchos años de mi vida, al igual que tú, viviendo una vida rutinaria, mis días se parecían mucho unos a otros.

Me despertaba para ir a estudiar, o trabajar o hacer las tareas del hogar, me relacionaba con mis amigos, veía la televisión, leía mucho pero no precisamente libros de crecimiento personal.

Hacía una vida normal, pero me sentía insatisfecha e incluso disgustada con la vida.

¿Te has sentido alguna vez así?

Desde pequeña, esa falta paterna, junto a mi timidez y mi baja autoestima me llevaron en cada etapa de mi vida a buscar la aprobación, el aprecio y el amor en los demás.

Inconscientemente, buscaba en las relaciones de pareja, ese vacío que tenía, y manifestaba el temor al abandono, puesto que nunca tuve en mi hogar la figura de mi padre.

¿Has vivido una situación parecida?

Cuando buscas el amor fuera de ti, te encuentras más vacío aún, puesto que el amor no depende de otra persona que no seas tú.

El amor empieza y termina en ti.

Al intentar agradar siempre a la otra persona, empecé a desagradarme a mí misma.

Mis relaciones de amistad cada vez iban siendo más escasas, me sentía sola, atraía a mi vida relaciones de pareja tormentosas, basadas en la dependencia, la relación con mi madre empeoró y parecía que todo mi mundo se me venía encima.

Estaba enfadada con la vida, y la vida me estaba respondiendo.

¿Te has sentido así alguna vez como si tu vida fuese en tu contra?

Hasta que llegó un momento en el que ya había caído en un pozo, había tocado fondo y algo en mi interior renació.

Empecé poco a poco a mirar hacia arriba y ver que había algo más, y que no estaba sola.

Tal fue mi felicidad cuando descubrí este secreto, que no es ningún secreto, solo que a simple vista no lo ves, que ahora quiero compartirlo contigo para que puedas ver tu vida como ahora yo veo la mía, con los ojos de la fe. (Con la palabra fe no me estoy refiriendo a ninguna religión).

Cuando di el primer paso y empecé a vivir la vida de mis sueños, mi vida cambió a mucho mejor.

Ahora me levanto cada mañana con una ilusión como cuando era una niña, a pesar de lo que pase, siempre veo lo bueno en lo malo.

Mis relaciones se han transformado, atraigo a personas extraordinarias a mi vida, mi madre y yo estamos más unidas que nunca, y siempre estoy entusiasmada con mi vida, y muy agradecida.

Las personas que me ven, me preguntan: ¿cómo puedo transmitirles mi felicidad?

Ahora te lo cuento a ti, amado lector, porque deseo que seas feliz y que puedas vivir una vida plena.

La clave está en que tomes conciencia de que tu vida no se desarrolla al azar, tú eres el responsable de todo lo que has vivido, porque lo has atraído hacia ti por tus pensamientos.

Si no estás disfrutando de una buena salud, si tu situación económica no es buena y estás viviendo relaciones que no se satisfacen, todo está dentro de ti.

No culpes a nadie, ni a nada externo.

Cuando empieces a cambiar tu visión, empezará a cambiar lo que ves.

Puede que desde pequeño te hayan estado limitando, diciéndote que no eras capaz, que no podías, poniéndote etiquetas.

Quizás hayas crecido con la creencia de que unas personas tienen más suerte que otras, que no hay para todos, que por eso hay unas personas más pobres que otras.

NADA DE ESO ES CIERTO, SOLO SON LIMITACIONES MENTALES.

¿Y si te digo que dentro de ti tienes un poder ilimitado?

Amado lector, **tú no eres ese cuerpo que ahora mismo está ahí sentado, tumbado, o de pie leyendo.**

Eres muchísimo más, eres un GENIO.

Procedes de una fuerza superior, de la Fuente o Dios como te guste llamarlo.

Ese Dios es creador de todo, y si tú procedes del él, en tu interior se encuentran partículas divinas capaces de crear tu realidad, muchos autores, como Dyer, Eckhart Tolle, Suzane Powell, Deepak Chopra, comparten esta afirmación en sus libros.

Para crear la vida de tus sueños tienes que conectarte con este poder de la intención, como afirma Wayne Dyer.

La intención materializa tus sueños, puedes acceder a ese universo de posibilidades infinitas y elegir cómo quieres que sea tu vida.

¿Cómo piensas que nacieron la bombilla, el teléfono o el avión?

Si no hubieran existido personas con visión de un futuro mejor, donde podría inventarse una bombilla para alumbrar, donde la gente pueda llamarse por teléfono y donde se puedan desplazar de una punta a otra del mundo con un avión, ahora tu vida no sería la misma.

Los hermanos Wright (inventores y pioneros de la aviación), Alexander Graham Bell (inventor del teléfono), Thomas Edison (inventor de la bombilla), todos ellos tenían una visión que les hizo ver más allá de lo que la vida era en aquel momento, se conectaron con su poder creador de la intención y fueron creativos logrando lo que nadie antes había conseguido.

¿Qué te diferencia a ti de los grandes inventores?

Tus limitaciones y tus creencias que te dicen que hay unas personas que pueden lograrlo y otras no.

Tú puedes lograr lo que sueñes si así lo crees, y actúas en consecuencia hasta conseguirlo.

La vida de tus sueños está esperando para ti, pero tienes que confiar y permitir que se pueda manifestar en tu vida.

Para ello deberás aplicar las 7 caras de la intención como nos explica Dyer en *El poder de la intención*: **la creatividad, la bondad, la belleza, el amor, la expansión, la receptividad y la abundancia.**

1. LA CREATIVIDAD

No basta con tener voluntad para hacer algo, y confiar y esperar a que llegue el milagro. Tienes que actuar y ser creativo.

¿Qué puedes hacer cada día, para que te acerques más a esa vida de tus sueños?

Si lo que has hecho hasta ahora no te ha dado resultado, empieza por cambiar la forma en la que reaccionas ante lo que te ocurre en la vida.

Transforma tus pensamientos, **repolariza los pensamientos negativos y conviértelos en positivos**.

Te ayudará colocar mensajes escritos por ti, donde decretes lo que quieres manifestar en tu vida.

Ponlos por los lugares de la casa donde puedas verlos a lo largo del día.

Agradece cada vez que escribas un decreto, porque así te conectas con tu intención, con tu fuerza creadora, para que trabajéis en armonía.

Deja un lado el ego, que te impide ser creativo.

Cuando empieces a no escuchar el ego y a confiar en tu poder creador, verás cómo el Universo trabaja junto a ti facilitándote el camino.

Practica la meditación a diario que te ayudará a conectarte con tu esencia, y desde ahí podrás visualizar tus sueños.

Te explicaré más detalladamente en el siguiente capítulo.

2. LA BONDAD.

Al proceder de una fuerza creadora bondadosa, todo lo que se salga fuera de la bondad, te va a impedir conectar con tu intención para alcanzar tus sueños.

Debes ser un ser bondadoso tanto contigo mismo como con los demás.

Empieza por ti, trátate con amor, valórate, respétate, porque no podrás dar amor ni ser bondadoso si antes no lo eres contigo mismo.

La vida te va a entregar lo que tú le estés dando.

Ayuda a las personas cuando te hayas ayudado a ti primero, pues nadie puede dar lo que no tiene, o lo que no es.

No des pensando en recibir algo a cambio, debes dar sin esperar.

Cuando das mucho es porque ya eres mucho, y el Universo y la vida te premia.

Lo que das, recibes.

Aléjate de los pensamientos de odio, ira, rencor, miedo, que te debilitan y te apartan de tu poder creador.

Debes hacer un esfuerzo por **vivir alegre,** ya que la alegría eleva tu energía y atraer hacia ti más alegría.

Si piensas que el mundo está mal, y andas enfadado todo el tiempo, la vida te va a responder con más de lo mismo.

Pero si piensas que hay personas buenas, que puedes confiar en ellas, esto es lo que verás manifestado en tu vida.

191 🦋

LA VIDA DE TUS SUEÑOS

Si irradias bondad, el mundo te responderá con más bondad.

3. LA BELLEZA

Cuando estás conectado con tu esencia, con el puro amor que eres, puedes apreciar la belleza donde antes no la veías, o no eras consciente de ella.

Me he dado cuenta desde que vibro en amor y en armonía con el Universo, que cada vez que salgo a la calle siento y veo la belleza en todas partes.

Antes no me fijaba en el cielo, ¿te has fijado tú?

Vivía acelerada, distraída en otras cosas insignificantes, pendiente más de lo que pasaba fuera de mí que de lo que me pasaba a mí por dentro.

¿Te sientes o te has sentido así alguna vez?

Ahora aprecio la belleza del cielo, veo las nubes y sus formas, los diferentes amaneceres, los bellos atardeceres, aprecio el sol, la lluvia, el olor a tierra mojada, el cantar de los pájaros, el olor a naturaleza porque vivo rodeada de un precioso paisaje de olivos.

Y me pregunto, ¿dónde estaba metida todo este tiempo?

A menudo vas pendiente del móvil mirando las redes sociales, a ver qué fotos o vídeos han subido tus amigos, estás pendiente de la vida de los demás, de los chismes, de los cotilleos, y de esta manera, estás desconectado de tu esencia, de tu poder creador.

Cuando empieces a ver la belleza por todas partes donde camines, estarás en armonía con tu Fuente creadora y podrás hacer realidad tus sueños.

4. EL AMOR

Sin duda alguna, vibrar en amor te conecta directamente con el poder de la intención.

El amor es la más alta vibración para poder manifestar tus sueños.

Por Amor fuiste creado y procedes de la Fuente que es PURO AMOR.

Si vibras en amor, estás conectado con la mayor fuerza creadora.

Para ello debes amarte a ti de tal manera, que puedas amar a los demás.

No puedes entregar amor si tú no te has amado antes.

Cultiva el amor que eres en tu círculo más próximo, en tu familia, amigos, incluso en quienes creas que te hayan perjudicado o dañado, entrégales amor. Porque cuanto más amor seas capaz de entregar, estarás más conectado con tu poder creador.

5. LA EXPANSIÓN

Dios, el Universo, tu Fuente quieren que te expandas, que crezcas, que evoluciones.

Debes crecer en todos los niveles, mental, intelectual, espiritual.

Tienes que estar aprendiendo y evolucionando constantemente, porque si te quedas estancado no podrás conectarte con el poder de la intención para crear la vida de tus sueños.

Expándete en tus relaciones, no te contraigas, abre tus alas de mariposa y vuela.

Lleva tu conocimiento, tu aprendizaje a más personas para que puedan beneficiarse.

Aprende de cada situación que te ofrece la vida, todo tiene el fin de que evoluciones, de que te hagas más grande que cualquier obstáculo.

6. LA RECEPTIVIDAD

Ser receptivo se refiere a **estar en armonía con el poder de la intención, a co-crear con el Universo para poder hacer realidad tus sueños.**

Permite que el Universo actúe a través de ti, confía en la manifestación, y no te desesperes por cuándo llegará a tu vida.

Permanece abierto a recibir, imagina que ya lo tienes en tu vida, y cuando menos te lo esperes, será una realidad ante tu vista.

7. LA ABUNDANCIA

La abundancia es clave para permitir que tus sueños se manifiesten.

Si te conectas con el poder de la intención desde la carencia, atraerás más carencia.

Debes sentirte abundante, en ti ya está todo lo que quieres ver en tu vida.

Dame la mano y acompáñame en el siguiente capítulo donde te hablaré más sobre la abundancia.

RECUERDA:

♡ Tienes un poder dentro de ti ilimitado capaz de conseguir cualquier sueño que quieras hacer realidad en tu vida.

♡ La clave está en que tomes conciencia de que tu vida no se desarrolla al azar, tú eres el responsable de todo lo que has vivido, porque lo has atraído hacia ti por tus pensamientos.

♡ Cuando empieces a cambiar tu visión, empezará a cambiar lo que ves.

♡ Tú no eres ese cuerpo que ahora mismo está ahí sentado, tumbado, o de pie leyendo.

♡ Eres muchísimo más, eres un GENIO.

♡ Para crear la vida de tus sueños tienes que conectarte con este poder de la intención, como afirma Wayne Dyer.

♡ La vida de tus sueños está esperando para ti, pero tienes que confiar y permitir que se pueda manifestar en tu vida.

♡ Deberás aplicar las 7 caras de la intención como nos explica Dyer en *El poder de la intención*:

o la creatividad,
o la bondad,
o la belleza,
o el amor,
o la expansión,
o la receptividad,
o la abundancia.

SÉ ABUNDANTE

"Cambia la forma de ver las cosas y cambiarán las cosas que ves".

WAYNE DYER

Si piensas que en el mundo no hay para todos, si crees que todo forma parte del azar, si crees que algunas personas son más afortunadas que otras, entonces no estás conectado con tu Fuente, con tu esencia, que es infinita.

Procedes, como ya sabes, de una Fuente de posibilidades infinitas, es decir, hay de todo y para todos.

Existe un Tú saludable, con relaciones extraordinarias y millonario, pero conforme fueron pasando los años te fuiste limitando y te fuiste adaptando a tus circunstancias haciéndote de cada vez más pequeño, y te conformaste. Digamos que entraste en una especie de letargo.

También estuve mucho tiempo dormida, hasta que descubrí el potencial que todos tenemos.

Hasta que no tomes conciencia de que eres abundante, y de que puedes crear tu vida, seguirás viviendo desde la escasez en tu vida, con lo cual tus sueños no podrán alcanzarte.

Cuando pides algo, una relación mejor, un trabajo mejor, una mejor salud, es porque te falta ¿verdad?

Al pedirlo desde esa carencia, el Universo, te responde desde la carencia también, por lo cual pierdes la esperanza, y manifiestas en tu vida más de lo mismo.

Aquí es donde te haces la pregunta: ¿por qué siempre me pasa lo mismo y todo me sucede a mí?

También me estuve haciendo esta pregunta durante mucho tiempo, y siempre volvía a revivir la misma experiencia, aunque con diferentes personas.

¿Te ha pasado alguna vez que revives lo mismo una y otra vez?

Pides que tu situación cambie, y como ves que no cambia nada, te desilusionas y empiezas a perder la fe.

Nada va a cambiar allá afuera hasta que tú no cambies.

Empieza a sentirte abundante, empieza a sentir y a actuar como si ya estuvieras viviendo la vida de tus sueños.

Pide al Universo, a Dios, desde la abundancia que hay en ti.

Tú ya tienes dentro de ti la vida que tanto anhelaste, ahora empezará a darse las circunstancias, las señales, las indicaciones para que actúes y puedas hacerla realidad.

Si tienes fe, y te sientes abundante, la Vida de tus Sueños se hará realidad. Podrás disfrutar de una vida plena, porque cada día cuando te despiertes, ya no será una batalla, sino que te dispondrás a actuar y vivir como si ya tuvieras esa vida que te mereces.

No importan las circunstancias por la que estés pasando, acepta cada situación por muy difícil y dolorosa que sea, porque esta situación pasará, nada es permanente. Cada situación dolorosa trae consigo una gran lección.

Expresa tus emociones, déjalas que salgan y empieza a sentir la abundancia en tu vida.

Cuando te sientes entusiasmado y abundante, mejora no solo tu vida sino la de todas las personas que te rodean porque se contagian de tu energía.

No tienes que creerme todo lo que te digo, solo tienes que comprobarlo.

Mi vida y la vida de los que me rodean cambió a mucho mejor desde que estoy conectada con la fuerza y el poder de mi interior.

Cuando sabes que formas parte de la Fuente creadora, y que tienes gen creador, dejas de tener miedo y empiezas a tener fe.

Ahí es cuando empiezan a suceder los milagros en tu vida.

Tú cambias, y todo cambia.

Siente que eres muy amado, y el amor te corresponderá.

Siente que estás sano, y tu salud mejorará.

Siente que el dinero viene a ti, y tu situación económica mejorará.

No basta con pensarlo, y pedirlo, tienes que sentir y actuar como si ya fuera una realidad.

Conoces la frase, "de tanto que mintió, se terminó por creer sus propias mentiras".

Es así, haz como si fuera real, hasta que sea una realidad.

PERMÍTETE que tus sueños se manifiesten. Si quieres disfrutar de una vida plena pero no te crees merecedor de lo que la vida quiere entregarte no vas a poder hacer realidad tus sueños.

EJERCICIO QUE TE AYUDARÁ A MANIFESTAR TUS SUEÑOS

Escribe notas con las frases que quieras manifestar en tu vida, poniéndole intención, la intención es la que te conecta con tu poder, con tu gen creador. Por ejemplo y dependiendo de lo que quieras manifestar:

"Mi intención es disfrutar de una relación de pareja extraordinaria".

"Mi intención es formar una familia y un hogar feliz".

"Mi intención es ayudar a muchas personas a que sean felices".

"Mi intención es tener buena salud"

"Mi intención es tener un trabajo que me apasione y me haga millonario"

"Mi intención es tener un cuerpo saludable".

Distribuye tus notas en diferentes partes de tu casa, yo las tengo en mi habitación para verlas justo al abrir los ojos por la mañana, y para verlas antes de dormir, que es cuando entra la información en tu subconsciente.

MEDITA CADA DÍA, es la manera de conectar con tu esencia, con tu verdadero Amor.

Hay muchas meditaciones guiadas que te ayudarán.

Te explico cómo lo hago yo: cierro los ojos, y respiro profundamente concentrándome en mi respiración, hago tres respiraciones profundas, y vacío mi mente, si me viene algún pensamiento, vuelvo a empezar. Permítete sentir y visualizar la vida de tus sueños durante unos minutos, todo el tiempo que puedas, ¿qué ves?, ¿qué escuchas? ¿qué hueles? ¿quiénes están contigo?

AGRADECE COMO SI YA ESTUVIESES DISFRUTANDO DE LA VIDA DE TUS SUEÑOS.

Al principio te costará, pero todo es práctica. No dejes de hacerlo, hasta que veas cambios en tu vida.

A continuación te regalo esta ilustración para que puedas ponerla en tu hogar con los decretos que quieras manifestar en tu vida.

REPITE ESTO TODOS LOS DÍAS DE TU VIDA

Yo Soy ABUNDANTE.
Yo disfruto de una vida plena.
Yo tengo relaciones extraordinarias.
Yo Soy Amor, el amor viene a mí en abundancia.
El dinero viene a mí porque yo soy abundante.
Mi intención es tener la Vida de mis Sueños y
ayudar a los demás a conseguirla.

Gracias, Gracias, Gracias

LA VIDA DE MIS SUEÑOS ES UNA REALIDAD

**YO SOY AMOR
YO SOY LUZ
YO SOY ABUNDANTE**

RECUERDA:

♡ Hasta que no tomes conciencia de que eres abundante, y de que puedes crear tu vida, seguirás viviendo desde la escasez en tu vida, con lo cual tus sueños no podrán alcanzarte.

♡ Empieza a sentirte abundante, empieza a sentir y a actuar como si ya estuvieras viviendo la vida de tus sueños.

♡ Pide al Universo, a Dios, desde la abundancia que hay en ti.

♡ Expresa tus emociones, déjalas que salgan y empieza a sentir la abundancia en tu vida.

♡ Cuando sabes que formas parte de la Fuente creadora, y que tienes gen creador, dejas de tener miedo y empiezas a tener fe.

♡ No basta con pensarlo, y pedirlo, tienes que sentir y actuar como si ya fuera una realidad.

♡ PERMÍTETE que tus sueños se manifiesten. Si quieres disfrutar de una vida plena pero no te crees merecedor de lo que la vida quiere entregarte no vas a poder hacer realidad tus sueños.

MEJORA TU VIDA Y LA DE TU ENTORNO

"Una de las más hermosas compensaciones de la vida consiste en que nadie puede intentar sinceramente ayudar a otro sin ayudarse a sí mismo... Sirve y serás servido".

RALPH WALDO EMERSON, ESCRITOR, FILÓSOFO Y POETA ESTADOUNIDENSE

Cuando empieces a crear, visualizar y sentir que la vida de tus sueños ya está en ti, **tu nivel de energía va a subir porque volverás a estar entusiasmado e ilusionado por tu vida.**

Cada mañana te va a costar de cada vez menos levantarte de la cama, porque ¿cómo vas a quedarte en la cama sabiendo que la vida de tus sueños te espera?

Es una sensación como cuando eras un niño y te ilusionabas por todo, y creabas tu mundo imaginario.

Los niños no ven los problemas que nosotros vemos, o más bien ellos los ven desde distinta perspectiva.

Están enfocados en sus sueños y en su propio mundo, y no le dan tanta importancia a lo que ocurre alrededor como hacemos los mayores, bueno, los mayores en cuerpo, porque nuestra alma sigue siendo la de aquel niño o aquella niña ilusionada.

Cuando vuelves a recuperar esa energía, los problemas no te afectan como lo hacían antes, porque sabes que son precisamente la prueba por la que tienes que pasar para conseguir la vida que tanto has soñado.

En lugar de enfocarte en el problema, piensas, ¿cuál será la siguiente prueba que tengo que superar para acercarme más a mi sueño?

La vida que antes veías difícil y que parecía una batalla constante, ahora la ves de otro color, sabes que el Universo te va a dar lo que has pedido y que lo hará cuando estés preparado y cuando no estés desesperado.

Vas a sentirte feliz con cada paso que das y con cada obstáculo que superes, puesto que te irás haciendo de cada vez más grande.

Y cuando menos te lo esperes, CHASSS, estás viviendo la Vida de tus Sueños.

Las personas que se relacionan contigo van a sentirse alegres y en paz con tu presencia.

Puesto que cuando conectas con tu esencia, con el puro amor que eres, vas a irradiar ese amor en todas las personas que te encuentres.

Las relaciones con tu familia, con tus amigos, con todo tu entorno van a mejorar, todos querrán tenerte más cerca.

Atraerás a personas a tu vida que te aportarán mucho valor, y que vibrarán en amor como tú.

Se alejarán las personas que aún se encuentren dormidas, las personas que piensan que el mundo es hostil, las personas que no creen en el amor.

Sin embargo, el amor que eres lo verás reflejado en todo lo que hagas, y en todas las personas y todo lo que te rodea.

Al ver cómo has logrado estar feliz y amarte, muchas personas vendrán a preguntarte. Explícales lo que has hecho, **no hay mayor felicidad que la contribución con el mundo.** Ayúdales a que sean más felices ellos también.

Te sentirás autorrealizado y la vida te multiplicará lo que estás dando con más amor aún.

Al crear la Vida de tus Sueños, no solo te beneficias tú, sino que beneficias a todos porque formas parte de un conjunto.

Repartiendo amor, ayudas a expandirlo a otras personas y éstas a otras muchas más.

SIEMBRA AMOR Y ALEGRÍA EN TU VIDA.

Sentirte conectado con tu esencia, hace que veas la divinidad también en los demás dejando de lado su personalidad.

Empezarás a ver la bondad de las personas, ya que lo que eres, estará reflejado en los demás.

Si deseas el bien para todos, aunque te hayan perjudicado en alguna ocasión o te hayan dañado, recibirás el bien, ya que la vida te devuelve lo que tú le has entregado.

Se te van a presentar las personas adecuadas como por arte de magia. Te aparecerá la información que estabas buscando. Sonará el teléfono y será el mensaje que estabas esperando...

Cuando mejoras tu vida, y estás vibrando en amor, todo se recoloca a tu favor.

Te conviertes en un imán que atrae hacia su vida las personas que tienen que estar para tu crecimiento y las situaciones que debes vivir.

Las personas que entran en contacto contigo empiezan a reaccionar de distinta forma, porque tu presencia les transmite paz y tranquilidad, les aporta energía, y se sienten mejor a tu lado. Se sentirán más motivados por la vida al ver lo que has logrado, les servirás de inspiración.

En la vida todos estamos interconectados, por este motivo, cuando tú mejoras, ayudas a mejorar todo el conjunto.

Gandhi resumía en esta frase, nuestra influencia en el mundo al estar conectados:

"Debemos ser el cambio que deseamos ver en el mundo".

GANDHI

RECUERDA:

♡ Tu nivel de energía va a subir porque volverás a estar entusiasmado e ilusionado por tu vida.

♡ Cuando vuelves a recuperar esa energía, los problemas no te afectan como lo hacían antes, porque sabes que son precisamente la prueba por la que tienes que pasar para conseguir la vida que tanto has soñado.

♡ La vida que antes veías difícil y que parecía una batalla constante, ahora la ves de otro color

♡ Vas a sentirte feliz con cada paso que das y con cada obstáculo que superes

♡ Las personas que se relacionan contigo van a sentirse alegres y en paz con tu presencia

♡ Atraerás a personas a tu vida que te aportarán mucho valor, y que vibrarán en amor como tú.

♡ No hay mayor felicidad que la contribución con el mundo.

♡ Al crear la Vida de tus Sueños, no solo te beneficias tú, sino que beneficias a todos porque formas parte de un conjunto.

♡ Cuando mejoras tu vida, y estás vibrando en amor, todo se recoloca a tu favor.

♡ En la vida todos estamos interconectados, por este motivo, cuando tú mejoras, ayudas a mejorar todo el conjunto.

LAS ESTACIONES DE TU VIDA

"El acto de plantar durante las cálidas brisas de la primavera, requiere que ejerzamos esta dolorosa disciplina, porque si no lo hacemos, estaremos asegurando que, en el próximo otoño, experimentaremos el mayor dolor del arrepentimiento. La diferencia es que el valor de la disciplina pesa gramos, y el del arrepentimiento toneladas".

JIM RHON, ORADOR ESTADOUNIDENSE
CONSIDERADO PADRE DE LA AUTOAYUDA

Amado lector, como bien sabes, el año tiene cuatro estaciones: primavera, verano, otoño e invierno.

No puedes cambiar estas estaciones ni este orden, ¿verdad?

Lo mismo ocurre con tu vida, **no puede haber una permanencia en tu vida, no todo va a ser muy bueno ni todo muy malo,** habrá épocas donde se te presentará una prueba que deberás superar para pasar a la siguiente etapa, y si no la superas, la tendrás que repetir.

Habrá épocas donde recojas todo lo que has sembrado, pero tendrás que volver a sembrar para que te dé una nueva cosecha, ya que no será suficiente con lo que recogiste en la primera siembra.

La vida te va poniendo pruebas, no para castigarte sino para engrandecerte y que puedas vivir la vida que mereces.

Si quieres una vida cómoda, y temes salir del lugar donde te encuentras prefiriendo "lo malo conocido, a lo bueno por conocer", pues seguirás teniendo la misma vida. La elección es tuya.

Aun así, la vida seguirá intentándolo contigo y te pondrá obstáculos para que te muevas y actúes.

Tu vida cambia, pasa por las cuatro estaciones, tendrás un invierno con menos luz y más frío donde te enfrentarás a retos, será un tiempo para crecer para hacerte más sabio y más fuerte.

Llegará después primavera donde podrás volver a disfrutar del sol, de la belleza de la naturaleza en esta época y del fruto que sembraste en otoño, y que cuidaste en invierno, es la época de la oportunidad y de los nuevos inicios.

A continuación, llega el tiempo de poner a prueba y defender el trabajo que has realizado, disfrutando de la época con más horas de luz, el verano de tu vida.

Y de nuevo llega el otoño donde tendrás que volver a cosechar si quieres recoger nuevos frutos en tu vida.

Son inevitables estas estaciones, tienes que pasarlas, no puedes cambiarlas, pero SÍ PUEDES CAMBIAR TU RESPUESTA ANTE CADA ESTACIÓN DE TU VIDA.

"Es preciso aceptar la responsabilidad personal. No es posible cambiar las circunstancias, las estaciones ni el viento, pero sí es posible cambiarse a uno mismo".

JIM RHON.

Dentro de ti posees el poder capaz de transformar cada situación de tu vida, de aceptar el presente, y mantener una actitud positiva y llena de entusiasmo mientras te diriges hacia tus sueños.

Tienes la capacidad de elegir ser feliz y ver la belleza de lo sencillo, de sobrevolar cada circunstancia, y de levantarte con mucha más fuerza, porque sabes que son pruebas que debes superar para pasar de nivel, como en los vídeo juegos.

Las estaciones del año influyen en el ánimo de muchas personas.

El paso del verano al otoño, la vuelta a la rutina, la vuelta al cole, a la universidad, junto a los cambios de temperatura, afectan a muchas personas. Los días son más cortos, menos horas de luz, por lo tanto, menos sol, que es el responsable de recargarnos gran parte de nuestra energía.

¿Qué puedes hacer para que no te afecte?

Observa la naturaleza, ella es paciente, no se altera ante los cambios de estación, aprende de ella porque procedes de ella. Todos venimos de la misma Fuente.

Las hojas de los árboles se caen, pero ellos saben que volverán a nacer.

Todo tiene un proceso, tu vida tiene un proceso.

Es necesario que llegue el otoño y el invierno, son necesarias las lluvias, el agua nos da la vida, tú eres un 80% agua.

Amanece siempre agradeciendo, dar las gracias te cambia el ánimo, si desde que amanece estás desanimado, así será el resto de tu día.

213

Encuentra algo que te apasione, algo que sepas hacer, encuentra una motivación: la pintura, escritura, lectura, cocina, música, practica deporte, etc. MUÉVETE. **La vida te apoya, pero cuando tú das el primer paso.** Eres valiente, vuelve a levantarte. **Disfruta de este momento, no te centres en la estación que toca ahora, solo disfruta cada día como si fuese el último de tu vida.** ¿Quieres malgastar el último día de tu vida? Acuérdate del niño o la niña que llevas dentro, sigue ahí esperando que lo cuides y lo ames, y que salgas allá afuera a cumplir tus sueños.

No te desanimes si tienes un momento amargo, ese momento va a pasar, expresa tus emociones, pero no dejes que las estaciones de tu vida arrastren el dolor. Libérate de él.

Nada es permanente, no te aferres a una situación que te dolió, eso ya pasó y no te preocupes, lo que estás viviendo hoy será la prueba de tu crecimiento.

Todo por lo que estás pasando te lleva hacia tus sueños, si tomas conciencia, y ves el aprendizaje que la vida te está queriendo mostrar.

A diferencia de la naturaleza que se mantiene inamovible ante cualquier estación, tú puedes transformar tu vida, tú puedes cambiar tu situación actual solo con cambiar tus pensamientos.

La naturaleza se mantiene en calma ante cualquier tempestad, aprende de ella, y además aprovéchate de tu condición de humano, tú puedes moverte de un lado a otro, y puedes crear tu realidad, aunque ahora estés pasando por el invierno de tu vida.

Céntrate en lo que quieres ver en tu vida, no te enfoques en la estación, apaga la televisión, no pongas las noticias, porque si tu energía no es alta, la vas a bajar aún más.

¿Qué quieres cambiar en tu vida? ¿Lo sabes? Pues empieza por ti.

Cambia tu manera de pensar, escucha a tu corazón.

La mente siempre te va a llevar a que repitas tu misma manera de reaccionar antes las diferentes estaciones de tu vida.

Dale la vuelta y cambia de perspectiva, **empieza a convencer a tu mente de que esta vez gana tu corazón, porque él conoce bien tu camino hacia la vida de tus sueños.**

RECUERDA:

♡ No puede haber una permanencia en tu vida, no todo va a ser muy bueno ni todo muy malo

♡ La vida te va poniendo pruebas, no para castigarte sino para engrandecerte y que puedas vivir la vida que mereces.

♡ Tu vida cambia, pasa por las cuatro estaciones

♡ Son inevitables estas estaciones, tienes que pasarlas, no puedes cambiarlas, pero SÍ PUEDES CAMBIAR TU RESPUESTA ANTE CADA ESTACIÓN DE TU VIDA.

♡ Las estaciones del año influyen en el ánimo de muchas personas.

♡ Todo tiene un proceso, tu vida tiene un proceso.

♡ La vida te apoya, pero cuando tú das el primer paso.

♡ Disfruta de este momento, no te centres en la estación que toca ahora, solo disfruta cada día como si fuese el último de tu vida.

♡ Nada es permanente, no te aferres a una situación que te dolió, eso ya pasó y no te preocupes, lo que estás viviendo hoy será la prueba de tu crecimiento.

♡ La mente siempre te va a llevar a que repitas tu misma manera de reaccionar antes las diferentes estaciones de tu vida.

♡ Empieza a convencer a tu mente de que esta vez gana tu corazón, porque él conoce bien tu camino hacia la vida de tus sueños.

ABRE LA PUERTA Y VIVE LA VIDA DE TUS SUEÑOS

"Los sueños parecen al comienzo imposibles, luego improbables, y luego, cuando nos comprometemos, se vuelven INEVITABLES".

MAHATMA GANDHI

¿Qué pasaría si hoy es el día en el que se hacen realidad tus sueños?

¿Cómo te despertarías?

¿Cómo te prepararías para salir a la calle?

La vida de tus sueños está ahí esperando a que creas y confíes en ella.

Desde antes de tu nacimiento, fuiste puro amor, procedes de la Fuente creadora, y llevas gen creador, como ya te he comentado a lo largo de esta trilogía.

Sin embargo, ese niño que nació, que no sabía lo que le esperaba fuera, fue creciendo y pasando por diferentes etapas y se fue formando como una coraza alrededor de su corazón.

El niño entusiasmado e ilusionado por su vida, que sonreía ante cualquier bobada de los adultos y se entretenía y era feliz con cualquier cosa, empezó a desconectarse de su esencia.

Aquel niño soñador, que se inventaba su propio mundo y que soñaba con lo que iba a ser de mayor, fue perdiendo esa ilusión porque allá afuera le fueron poniendo diferentes etiquetas y este niño se las terminó creyendo.

Empezó a ponerse límites: "yo no puedo", "yo no soy capaz", "yo no soy afortunado", etc.... y se fue apartando más y más de los sueños que tenía.

De niño, todo era posible para ti, ¿verdad?

Tú no entendías qué pasaba allá afuera, si las circunstancias no eran las mejores, te imaginabas tu propio universo.

Hasta que llegó un momento que de tanto ponerle capas a tu corazón, te viste disfrazado de adulto.

Y claro, los adultos te han dicho que tienen que pensar y comportarse como tal.

Te dijeron que tu vida era así, te has ido conformando con lo que tienes, con tu trabajo, con tus relaciones, con tu salud, y te han hecho creer que la vida es esto, no hay más.

A estas alturas de la trilogía, sabes el poder que posees en tu interior capaz de obrar milagros siempre que estés conectado con esta fuerza y dejes de lado tu ego.

Pues bien, HA LLEGADO LA HORA DE VIVIR LA VIDA DE TUS SUEÑOS.

ABRE LA PUERTA...VIVE TU VIDA, SIENTE LA VIDA DE TUS SUEÑOS.

Todos los días cuando abras los ojos, empieza a sentirte como te sentirías si ya estuvieras viviendo la vida que anhelas.

¿Quién estaría contigo? ¿Qué verías? ¿Cómo empezarías tus mañanas? ¿Estarías feliz? ¿Verdad que cuando te sientes feliz, los problemas se hacen muchos más pequeños?

Imagina cómo se disuelven todos tus problemas, ahora es el momento de volver a sentirte entusiasmado e ilusionado por tu vida.

Tu vida no quiere que sufras solo te pide que crezcas y aprendas, no te ha puesto esas situaciones y te ha hecho pasar por momentos amargos porque te lo merezcas, nadie es castigado. La vida te estaba preparando, te estaba exprimiendo para sacar todo tu jugo, todo tu potencial.

Mereces todo lo mejor, mereces ser feliz, mereces volver a sentirte ilusionado.

No mires más ese problema que te tiene estancado, no sigas mirando allá afuera todo lo que ocurre, es el momento de escuchar a tu corazón, de amar a ese niño y a esa niña que llevan toda la vida esperándote en tu interior.

No estás solo, procedes de una FUERZA muy poderosa, para mí es Dios.

Siempre te ha acompañado, aunque hayas perdido la fe, Él siempre ha estado ahí. Y cuando hablo de fe, hablo de la fe en ti, puesto que tú procedes de algo superior.

ABRE ESA PUERTA Y OBSERVA LA BELLEZA DE TU VIDA.

EN ESTA NUEVA VIDA TRABAJAS POR TUS SUEÑOS Y VIVES DE ELLOS, DISFRUTAS DE RELACIONES EXITOSAS, DONDE EL AMOR ES EL PROTAGONISTA, Y TIENES BUENA SALUD.

Eres abundante, que nadie más te ponga etiquetas, no te creas ni te digas que no puedes, lo puedes todo, mira lo que has logrado en tu vida.

Si estás ahora aquí es porque quieres un cambio, quieres volver a ver la vida desde la fe, desde el amor puro que eres.

Cuando se presenten los obstáculos, tu AMOR podrá superarlos porque ya sabes que no estás solo, nunca lo estuviste.

Esos obstáculos serán la prueba de tu crecimiento.

No vale rendirse, si te tropiezas y te caes, vuelve a levantarte, TE ESPERA UNA VIDA DONDE TUS SUEÑOS SON UNA REALIDAD.

El Universo es infinito, elige y dile de forma clara qué deseas en tu vida, y haz algo cada día para que te acerques más a tus sueños.

Te acercas a tus sueños cuando no te rindes, cuando no pierdes la fe, cuando eres capaz de transformar tu dolor en alegría, cuando eres feliz porque así lo decides tú.

Con esta actitud vas a aprender a vivir tu vida de forma plena y sin esperarlo, va a llegar un día en el que estés viviendo todo lo que una vez soñaste.

Entonces mirarás hacia arriba con una sonrisa y muy emocionado y dirás: GRACIAS, SÉ QUE FUISTE TÚ (y este TÚ, te incluye a ti mismo, puesto que eres el creador de tu realidad en cooperación con Dios o el Universo).

Ahora dime, ¿vas a seguir viviendo tu vida como una pluma que se la lleva el viento? O, ¿vas a vivir cada día como si fuera el día en el que tus sueños te alcancen?

DECIDE TÚ.

RECUERDA:

♡ La vida de tus sueños está ahí esperando a que creas y confíes en ella.

♡ De niño, todo era posible para ti.

♡ Todos los días cuando abras los ojos, empieza a sentirte como te sentirías si ya estuvieras viviendo la vida que anhelas.

♡ Imagina cómo se disuelven todos tus problemas, ahora es el momento de volver a sentirte entusiasmado e ilusionado por tu vida.

♡ Mereces todo lo mejor, mereces ser feliz, mereces volver a sentirte ilusionado.

♡ No estás solo, procedes de una FUERZA muy poderosa, EN ESTA NUEVA VIDA TRABAJAS POR TUS SUEÑOS Y VIVES DE ELLOS, DISFRUTAS DE RELACIONES EXITOSAS, DONDE EL AMOR ES EL PROTAGONISTA, Y TIENES BUENA SALUD.

♡ Cuando se presenten los obstáculos, tu AMOR podrá superarlos porque ya sabes que no estás solo, nunca lo estuviste.

♡ Te acercas a tus sueños cuando no te rindes, cuando no pierdes la fe, cuando eres capaz de transformar tu dolor en alegría, cuando eres feliz porque así lo decides tú.

♡ DECIDE TÚ.

LA MARIPOSA: TU TRANSFORMACIÓN Y TU GUÍA ESPIRITUAL

"Naciste con potencial.
Naciste con confianza y bondad.
Naciste con sueños e ideales.
Naciste con grandeza.
Naciste con alas.
No estás destinado a arrastrarte;
Tienes alas.
Aprende a usarlas y vuela".

RUMI, CÉLEBRE POETA MUSULMÁN DEL SIGLO XIII

TU TRANSFORMACIÓN

Como bien está expresado en este poema, ya venías con todo este potencial, ya venías con unos sueños por cumplir, con unas alas para volar, ¿qué pasó por el camino? ¿te creíste todas las etiquetas que te pusieron?? ¿pensabas que ya no había más?

Ahora empieza todo...

Es el momento de tu transformación en MARIPOSA, llevas desde el primer tomo de esta trilogía viajando conmigo de la mano, has aprendido a amarte, a amar, y a crear la vida que te mereces.

No vale ya mirar atrás, tienes que seguir hacia delante y viendo tu vida con los ojos de la fe.

Ya te has dado cuenta que las mariposas, son las protagonistas de este viaje, ¿sabes por qué?

Tú te pareces mucho a una mariposa.

Si ahora estás leyendo estas páginas es porque quieres cambiar, necesitas volver a sentir la ilusión y el entusiasmo por la vida.

Ya estás cansado de no saber cómo reaccionar ante los problemas, y a menudo te vienes abajo y te vuelves a desilusionar.

Crees que tu vida es esto, pero ahora ya conoces la verdad: TU VIDA ES MUCHÍSIMO MÁS.

No te vas a arrastrar más por la vida, no vas a arrastrar más tus problemas contigo, ni vas a llevar una mochila cargada de rencor, odio, y amargura.

Fíjate en las orugas, ellas van arrastrándose, piensan que su vida es esa y cuando mueran ese será su final.

Sin embargo, son mucho más que eso.

Las orugas no mueren, ellas se transforman en hermosas MARIPOSAS.

Así eres tú, no eres una oruga, te han puesto etiquetas a lo largo de las etapas de tu vida y tú te las creíste, pensaste que no había más, o quizás algo te decía dentro de ti, que podrías haber sido alguien diferente, ¿verdad?

Ha llegado el momento de tu METAMORFOSIS en mariposa.

Lo más hermoso que veo en las mariposas son sus alas. Las alas las hacen libres, pueden volar hacia donde ellas deseen.

**Tú también tienes esas ALAS DE MARIPOSA.
ERES LIBRE.**

Puede que en algún momento de tu vida te sintieras atrapado en una situación que no te correspondía. Puede que por tratar de agradar a los demás te desagradaste a ti mismo, puede que hayas pasado por relaciones dolorosas, que te tenían encarcelado y de las que no sabías cómo salir.

Nada en esta vida tiene el derecho de hacerte sentir enjaulado.

Naciste con alas, no permitas que nada ni nadie te las corten.

Además, ninguna persona tiene el poder sobre ti si tú no se lo permites.

No pongas tu felicidad en manos de los demás, porque solo depende de ti.

TODO LO QUE NECESITAS EN ESTA VIDA YA ESTÁ EN TI.

Tu transformación en mariposa te va a permitir que sobrevueles cualquier situación de tu vida, que la veas desde arriba y que seas capaz de transformarla desde tu poder interno.

Ahora TÚ DECIDES sobre qué jardín te vas a posar y qué flor elegirás.

No te conformes con menos de lo que mereces.

Eres un SER hermoso, valioso, con amor puro en tu interior capaz de crear la vida que tanto has soñado.

Despliega tus alas y vuela libre hasta alcanzar tus sueños.

TU GUÍA ESPIRITUAL

Las mariposas son consideradas guías espirituales. Su ligereza y sus alas permiten transmutarse entre los dos mundos, y si eres sensible y receptivo a las señales que te envía constantemente el Universo, podrás haber disfrutado de su presencia cuando te has querido comunicar con un ser querido que ya no está o has preguntado algo al Universo.

Las mariposas blancas son nuestros familiares que nos hacen una visita y tratan de comunicarse con nosotros, ¿te acuerdas de la historia que te conté sobre mi ángel de la guarda en El Amor de tus Sueños?

Ahora te voy a explicar con más detalle la importancia de la mariposa blanca en esta trilogía.

Mi intención es darte paz y alivio y decirte que no estás solo, que no estés triste porque no puedas volver a ver a un ser querido. No lo vas a ver con la misma forma, pero sí vas a poder sentir su presencia contigo, porque, amado lector, el alma nunca muere.

Mi historia de la mariposa blanca empezó hace 4 años.

Mi vida se había convertido en un callejón sin salida, acababa de pasar por una relación de pareja tóxica y no sabía a quién acudir para calmar ese dolor.

Así que me hablaron de una vidente y no dudé ni un segundo en recurrir a ella.

Siempre me gustó creer que había algo más, desde que era muy pequeña, y vi como una luz que se abría ante mí.

No todas las personas videntes son de fiar, pero sí que hay muchas personas que pueden percibir la energía con la que llegas a ellas, y así pueden leer tus cartas del destino...

Todo es energía, y todo tiene una vibración. Cuando me presenté ante aquella dulce señora, iba con una vibración y atraje una serie de cartas donde ella fue narrándome la historia de mi vida.

Nunca antes había conocido a una señora que transmitiera tanta paz y tanta luz como ella.

Me sentía como en casa.

Fue sorprendente todo lo que viví allí.

Esta señora me habló de mi guía espiritual, un ángel que guiaba e iluminaba mi camino, y con mi mismo nombre, mi abuela.

Sin embargo, esta vidente no sabía nada de la historia de la mariposa blanca.

Y ahí quedó la historia...pasaron 4 años y justo cuando empecé a investigar sobre crecimiento personal y metafísica, mi vida cambió.

Sucedió todo lo que ella, años atrás, había visto, con lo cual, no dudé en enviarle un mensaje de agradecimiento.

Te va a sorprender la respuesta que me dio:

¡ESTA IMAGEN FUE SU RESPUESTA! Sin ninguna palabra más, sólo la imagen, pero entendí perfectamente la señal.

¿Cómo podía ser posible? Ella no sabía nada de la mariposa blanca, y tampoco, que era mi abuela.

Supe al instante, que mi guía está en todo momento conmigo, que ha sido testigo de todo lo que he vivido en estos años, y que será testigo de todo lo que me queda.

Con mi historia no te pido que vayas corriendo en busca de un vidente, ni mucho menos, tampoco intento que me creas, solo te muestro que **lo que ves no es todo, que hay mucho más que no percibes a simple vista.**

No pierdas la fe, amado lector, **comunícate con tus guías espirituales, ellos te darán señales y te indicarán la respuesta, pero debes estar atento y receptivo a las señales, no siempre serán en forma de mariposa.**

Podrás oler una fragancia que te recuerde, una canción, la forma de las nubes, una paloma blanca...

NO ESTÁS SOLO, NUNCA LO HAS ESTADO, Y NUNCA LO ESTARÁS.

Primero, te tienes a ti, segundo, procedes de una fuerza superior, tercero, tus guías te acompañan.

Entonces, ¿por qué tienes miedo si alguien camina junto a ti e incluso te está preparando el camino para que lo recorras?

EMPIEZA A CREER Y EMPIEZA A CREAR LA VIDA DE TUS SUEÑOS.

LOS SUEÑOS SE CUMPLEN.

LA VIDA DE TUS SUEÑOS

RECUERDA:

♡ No te vas a arrastrar más por la vida, no vas a arrastrar más tus problemas contigo, ni vas a llevar una mochila cargada de rencor, odio, y amargura.

♡ Naciste con alas, no permitas que nada ni nadie te las corten.

♡ Tú también tienes esas ALAS DE MARIPOSA.

♡ ERES LIBRE.

♡ TODO LO QUE NECESITAS EN ESTA VIDA YA ESTÁ EN TI.

♡ Tu transformación en mariposa te va a permitir que sobrevueles cualquier situación de tu vida, que la veas desde arriba y que seas capaz de transformarla desde tu poder interno.

♡ Despliega tus alas y vuela libre hasta alcanzar tus sueños.

♡ Las mariposas son consideradas guías espirituales

♡ Las mariposas blancas son nuestros familiares que nos hacen una visita y tratan de comunicarse con nosotros lo que ves no es todo, que hay mucho más que no percibes a simple vista.

♡ No pierdas la fe, comunícate con tus guías espirituales, ellos te darán señales y te indicarán la respuesta, pero debes estar atento y receptivo a las señales, no siempre serán en forma de mariposa.

♡ EMPIEZA A CREER Y EMPIEZA A CREAR LA VIDA DE TUS SUEÑOS.

CLAVES PARA DISFRUTAR DE UNA VIDA PLENA

"Nuestro miedo más profundo no es que seamos inadecuados.
Nuestro miedo más profundo es que somos
inconmensurablemente poderosos.
Lo que nos asusta es nuestra luz, no nuestra oscuridad.
Nos preguntamos: ¿Quién soy yo para ser brillante,
encantador, talentoso y fabuloso?
En realidad, ¿quién eres para no serlo?
Eres una criatura de Dios.
Jugar a ser insignificante, no le sirve al mundo.
No hay nada inspirador en encogerse para que los demás no
se sientan inseguros a tu alrededor.
Hemos nacido para dejar de manifiesto la Gloria de Dios
que hay dentro de nosotros. Que no está solo en algunos,
sino en cada uno de nosotros. Y, al dejar que nuestra propia
luz brille, inconscientemente, les damos permiso
a otros para que hagan lo mismo.
Al liberarnos de nuestro propio miedo, nuestra presencia,
automáticamente, libera a otros".

Discurso de Nelson Mandela,
como presidente electo de Sudáfrica (1994)

Amado lector, para disfrutar de una vida plena debes encontrar tu felicidad, para ello antes has aprendido amarte a ti mismo y a descubrirte en El Amor de tus Sueños.

La felicidad no te la da el éxito, si asocias el éxito a los logros materiales, posesiones, títulos académicos, nivel social.

El éxito está en alcanzar el máximo nivel en cuanto a tu misión en esta vida y tu contribución con el mundo. La felicidad la encontrarás haciendo lo que amas, viviendo de lo que amas y ayudando al mayor número de personas para que también encuentren su misión en sus vidas y aprendan a ser felices.

La prueba está en el gran número de personas con títulos universitarios y trabajando en puestos de trabajo importantes y con unos ingresos muy elevados se encuentran infelices, porque sienten un vacío en su interior.

Te pongo este ejemplo, porque podrás pensar, "yo no soy feliz porque no pude ir al colegio", "yo sería feliz si tuviera mucho dinero", "yo sería más feliz si fuese jefe de una gran empresa", "yo sería más feliz si fuese famoso".

Aquí otro ejemplo, fíjate en los famosos que aun teniendo éxito decidieron no seguir más con su vida, como Whitney Houston y Michael Jackson, solo son dos ejemplos de una larga lista.

¿Por qué quitarse la vida si lo tienen todo? Te preguntarás.

Porque la felicidad no te la da lo externo, nada que no seas tú te va a aportar felicidad.

La felicidad no está en lo que tienes, está en lo que eres.

Naciste con todo de fábrica, venías con todas las claves para ser lo que quisieras, y para ser feliz, acuérdate de cuando eras un niño o una niña.

¿Verdad que soñabas despierto y te entusiasmabas con las cosas más sencillas?

Tienes un talento innato, si ahora has olvidado cuál es, te voy a ayudar a encontrarlo.

Aquí te permito que mires atrás un momento, ¿qué te gustaba hacer de pequeño? ¿Qué te apasionaba? ¿Qué se te daba bien?

Cuando hablamos con los niños y le preguntamos qué les gustaría ser de mayores, ellos no mienten, ellos aún no tienen la influencia del exterior, no están condicionados y hablan desde el corazón, que es quien de verdad te guía por el buen camino.

Naciste con un propósito en esta vida, tu corazón te habla constantemente, pero tú no le haces caso.

Culpas al tiempo, a las personas que tienes alrededor, al gobierno, al trabajo de no sentirte feliz, pero es solo tu responsabilidad sentir ese vacío.

¿Quién te dijo que tenías que ser ahora como eres? ¿Quién te dijo que tenías que trabajar en lo que trabajas o que tenías que estudiar determinada carrera universitaria para ser alguien en la vida? ¿Quién te fue poniendo esas etiquetas que tú te creíste?

¿Por qué no le has hecho caso al niño o la niña que habita en tu interior?

La clave para ser feliz es volver a ser quien verdaderamente eres. Es volver a tu VERDADERO AMOR, EL AMOR DE TUS SUEÑOS.

El amor puro que eres desde antes incluso de nacer, el amor que todo lo puede, todo lo crea y todo lo transforma.

¿Qué le gustaba hacer a ese niño o a esa niña que eres?

¿Qué se te da bien hacer, amado lector?

¿Qué sabes hacer, qué tarea disfrutas haciendo y además pueden disfrutar o ayudar a más personas?

La respuesta a estas preguntas es **TU PRÓPOSITO DE VIDA**.

Cuando escuchas a tu corazón, te sientes en paz, te sientes pleno porque estás siendo coherente con lo que sientes y con lo que haces.

Sin embargo, ¿por qué muchas personas no están haciendo ahora lo que les pide su corazón?

PORQUE TIENEN MIEDO DE SALIR DE SU ZONA CÓMODA.

Piensas que estás cómodo con tu trabajo, con tu vida, con tu pareja, y te da miedo lo desconocido.

Precisamente, lo desconocido, el camino más estrecho por el que aún no has transitado es el que te lleva a tu propósito de vida, y con este a tu autorrealización.

La mayor felicidad que vas a alcanzar en tu vida es la autorrealización, y ésta te la da tu progreso, tu crecimiento, y tu contribución con el mundo.

Naciste con alas de mariposa, pero por el camino te convertiste de nuevo en oruga y ahora que vuelves a transformarte en una hermosa mariposa, ya no hay vuelta atrás. Es el momento de abrir tus alas y volar hacia la Vida de tus Sueños.

Si quieres vivir una vida plena, piensa y actúa diferente. No lo vas a conseguir de un día para otro, es más tendrás que estar toda la vida dando un paso más y superando niveles donde te irás sintiendo de cada vez más grande, y donde tu luz se irá expandiendo allá por donde pases.

Porque **cuando encuentras lo que verdaderamente viniste a ser en esta vida, no solo mejoras tu vida sino la de todos los que te rodean, ya que iluminarás también sus vidas, y les empujarás a que se transformen y encuentren su misión.**

TÚ SERÁS LA LUZ QUE ILUMINE EL CAMINO DE OTRAS PERSONAS.

Te cuento un secreto, yo estaba como tú hace unos años, sentía un vacío, pensaba que agradando a los demás sería más feliz, encontraría el amor y podría disfrutar de la vida.

Primero, estudié una carrera porque la sociedad y tu entorno te dice que debes tener estudios para poder tener "un buen trabajo y una buena vida".

Vi que no me llenaba y empecé a trabajar en una empresa, donde me dijeron que iría ascendiendo, pero mi corazón me hablaba continuamente. Me sentía vacía.

Me di cuenta que ni los estudios, ni ese trabajo, ni tener cosas materiales me daban la felicidad.

¿Te sientes o te has sentido así?

Dejé también ese trabajo, caí en una depresión, regresé a mi lugar de nacimiento y retomé el negocio de mi madre, una tienda de ropa.

Aquí fui consciente de que se me daba bien el trato con el público, los clientes confiaban en mí y me contaban sus problemas y me gustaba ayudarles.

Sin embargo, esta era la vida de mi madre, y la de mis abuelos, no la mía.

¿Alguna vez has hecho lo que otros te han dicho que debías hacer o has imitado inconscientemente la vida de tus padres o tu entorno?

No tienes que encajar en el molde de otros, tienes que vivir la vida de tus sueños, escucha a tu corazón que lleva susurrándote tantos años.

He descubierto en el crecimiento personal, mi verdadero propósito, me he transformado y mi vida ha cambiado a mejor.

Cuando haces lo que amas, la vida te responde con más amor.

Tienes que amar lo que haces, **tienes que entregar amor al mundo.**

¿Qué te gusta hacer, qué sabes hacer? **Encuentra tu talento.**

Tu talento puede ser cualquier cosa que te guste: hacer dulces, practicar deporte, comer bien, bailar, dibujar, cantar, coser, actuar...

Tu talento es algo que te gusta hacer, se te da bien y además las otras personas pueden beneficiarse de ello.

Hay millones de soñadores con sueños sin cumplir porque creen que no pueden, porque tienen miedo de salir de su zona cómoda.

Tienes tiempo, estás vivo, no gastes más tiempo de tu vida sintiendo ese vacío. Dirígete a por tus sueños.

Agradece lo que tienes y escucha a tu corazón y conquista tus sueños que están esperando para ti.

El único problema que vas a tener eres tú mismo. Tú eres el que te pones límites.

¿Por qué unas personas lo consiguen y otras no?

No es suerte, es constancia y esfuerzo, es hacer y pensar de forma diferente a como estás acostumbrado a hacerlo, es volver a jugar y soñar como un niño. **VUELVE A SER ESE NIÑO O ESA NIÑA QUE CREÍA EN SUS SUEÑOS.** Ahora te voy a regalar **11 claves** para que empieces ya a CREAR LA VIDA QUE TE MERECES:

1. Agradece cada día todo lo que ya tienes, aunque estés pasando por una situación amarga

2. Perdona y pide perdón, y perdónate a ti mismo para poder avanzar libre de cargas emocionales.

3. Ámate primero tú, valórate y respétate.

4. Imagínate la vida que sueñas como si fuera ya una realidad.

5. Confía en ti.

6. Ilusiónate con la vida como lo haría ese niño o niña que tienes en tu interior.

7. Acepta cada situación, y transciéndela para hacerte más grande.

8. Transforma el dolor en paz y armonía.

9. Eleva tu vibración.

10. Medita y conéctate con la naturaleza.

11. Escucha a tu corazón porque él sabe el camino correcto.

¿¿Por qué 11 claves, por qué este número y no otro?

El **número 11** es una señal en numerología, al ser un número maestro tiene una importancia y energía especial, se relaciona con la intuición. Su misión en la vida es la de trabajar con la finalidad de intentar mejorar la sociedad y el mundo.

Tu misión en la vida, amado lector, es mejorar tu vida y la de todos los que te rodean, por lo que deberás trabajar constantemente con tu mente y convencerla para que no te lleve a repetir las mismas situaciones.

Tú has nacido para irradiar luz al mundo, y eso solo lo consigues siguiendo tu intuición, escuchando a tu corazón.

Y lo más importante, siéntete abundante en salud, dinero y amor.

En ti ya está todo, cambia la forma en la que miras la vida, y la vida cambiará.

Estás conectado a una Fuente que es infinita, no lo olvides, tú eres el único que te limita.

No hay escasez en la vida, solo hay personas que se enfocan en la escasez, ponle atención a la abundancia y es lo que reflejarás en tu realidad.

¿Cómo lo logras si tus pensamientos te llevan a reaccionar siempre de la misma forma?

Siendo consciente cuando te vengan esos pensamientos limitantes y practicando diariamente para sustituirlos por los pensamientos que te acerquen a tus sueños.

Si pudiera resumir todo en una palabra para que puedas manifestar la vida de tus sueños sería:

ABUNDANCIA

RECUERDA:

♡ La felicidad no está en lo que tienes, está en lo que eres.

♡ Naciste con todo de fábrica, venías con todas las claves para ser lo que quisieras, y para ser feliz, acuérdate de cuando eras un niño o una niña.

♡ Tienes un talento innato

♡ Naciste con un propósito en esta vida, tu corazón te habla constantemente, pero tú no le haces caso.

♡ La clave para ser feliz es volver a ser quien verdaderamente eres. Es volver a tu VERDADERO AMOR, EL AMOR DE TUS SUEÑOS.

♡ El amor puro que eres desde antes incluso de nacer, el amor que todo lo puede, todo lo crea y todo lo transforma.

♡ Cuando escuchas a tu corazón, te sientes en paz, te sientes pleno porque estás siendo coherente con lo que sientes y con lo que haces.

♡ La mayor felicidad que vas a alcanzar en tu vida es la autorrealización, y ésta te la da tu progreso, tu crecimiento, y tu contribución con el mundo.

♡ Si quieres vivir una vida plena, piensa y actúa diferente

♡ TÚ SERÁS LA LUZ QUE ILUMINE EL CAMINO DE OTRAS PERSONAS.

♡ No tienes que encajar en el molde de otros, tienes que vivir la vida que tus sueños, escucha a tu corazón que lleva susurrándote tantos años

♡ Cuando haces lo que amas, la vida te responde con más amor.

♡ Tienes que entregar amor al mundo.

♡ Encuentra tu talento.

♡ Agradece lo que tienes y escucha a tu corazón y conquista tus sueños que están esperando para ti.

♡ El único problema que vas a tener eres tú mismo. Tú eres el que te pones límites.

♡ VUELVE A SER ESE NIÑO O ESA NIÑA QUE CREÍA EN SUS SUEÑOS.

♡ Si pudiera resumir todo en una palabra para que puedas manifestar la vida de tus sueños sería: ABUNDANCIA

VIVE TU VIDA
DESDE EL AMOR

"Qué cosa tan extraña es el hombre; nacer no pide, vivir no sabe y morir no quiere".

FACUNDO CABRAL, CANTAUTOR, POETA, FILÓSOFO ARGENTINO

La vida es bella, amado lector, así la percibiste tú cuando viniste al mundo, aunque no lo recuerdes. Sin embargo, nadie te enseñó a vivir, ni te enseñó a amar.

Viniste siendo amor puro, no entendías nada de lo que pasara fuera cuando naciste, eras feliz, alegre y amoroso por naturaleza.

Y así lo sigues siendo hoy, aunque te hayas desconectado por momentos de tu verdadera esencia.

Llegaste a este mundo brillando, solo conocías la voz de tu corazón, aún no sabías que más tarde nacería en tu mente otra voz mucho más ruidosa y molesta llamada EGO.

El ruido del ego ha ocupado y ocupa cada día de tu vida porque tu mente ha sido dominada por él.

Por eso, hoy te encuentras leyendo estas palabras para poder dejar de escuchar ese ruido mental y volver a enfocarte y prestarle atención a tu verdadera esencia, a la voz de tu amor puro, el que todo lo crea, todo lo transforma y todo lo puede.

Tu ego fue dominando a tu mente tan sutilmente a lo largo de tu vida que ni te diste cuenta, hasta que llegó un día en el que estabas perdiendo el entusiasmo y la ilusión por la vida.

Por eso, has llegado conmigo a realizar este viaje, hacia tu verdadero amor, y desde ahí expandirlo al resto del mundo, y así transformar tu vida, crear la vida de tus sueños y mejorar la vida de todos los que te rodean.

Fíjate cómo es el ego, que te fue apagando por momentos hasta quitarte el brillo que tenías al nacer, ¿te has fijado cómo son los bebés? Tienen un brillo especial, sin importar su físico, todos brillan con luz propia.

Los bebés enamoran porque son puro amor.

Ha llegado el momento de deshacerte de tu disfraz de adulto, y de volver a irradiar esa luz que eres.

Tu transformación en mariposa, ha hecho desplegar desde dentro de tu corazón, una inmensa luz que expandirá el amor allá por donde pases.

La vida sin amor no puede existir.

Cuando pones amor a todo lo que haces, y te conectas con el amor que eres, todo se transforma.

Cuando aprendas a mirar con amor hasta a aquellos que te lastimen, la situación en sí cambiará, se transformará.

¿De qué te vale reaccionar desde el miedo, la ira, el rencor, el resentimiento, los celos, la envidia?

Todo eso le corresponde a tu ruido mental del EGO.

Esas emociones no le corresponden a quién eres verdaderamente.

Al reaccionar desde tu ego, expandes más ese dolor, porque te estás enfocando en él.

Sin embargo, entrega amor a todo el mundo, y el mundo te responderá con más amor.

Puedes ver injusticias, situaciones difíciles, momentos amargos y de dolor, pero si te quedas ahí sintiendo el dolor y preguntándote por qué, nada va a cambiar, sino que esas situaciones se van a hacer más grandes o van a durar más tiempo.

Es necesario aceptar todo lo que te viene en la vida y expresar tus emociones para que no se acumulen, pero tu dolor no puede ser el protagonista de tus días, porque nada se soluciona con tu sufrimiento.

"Si algo no tiene solución, para qué preocuparte y si tiene solución, para qué preocuparte".

PROVERBIO CHINO

Hace unos años, yo estaba como tú, cuando llegaban situaciones difíciles me venía abajo, me costaba salir, pero al final veía otra vez la luz.

Ahora acepto cada situación, expreso mis emociones, aprendo de la enseñanza que hay detrás de cada prueba y continúo mi camino con mucha más fuerza y sin perder mi entusiasmo y mi ilusión por la vida.

Hasta que tu corazón deje de latir, puedes transformar tu vida, puedes cumplir tus sueños.

Pero como nunca sabrás cuál es ese momento de partir, tienes que aprender a vivir cada día con el entusiasmo de si fuera el último.

No puedes dejar de soñar, porque en el momento en el que pierdas tu fe, estás perdido.

No dejes para mañana los sueños que puedas alcanzar hoy.

¿Qué crees que te falta en tu vida? ¿Por qué no estás haciendo ahora algo para cambiar tu situación?

Tu felicidad no te la va a dar lo externo a ti, nadie va a venir a darte felicidad.

Viniste a ser feliz, viniste siendo amor, pero nadie te enseñó a amar ni a vivir.

Reconéctate con tu esencia, con tu verdadero amor, con tu niño o niña interior.

Ilusiónate de nuevo, los sueños no están para soñarlos, están para cumplirlos.

Empieza a cambiar la forma de pensar. Esto requiere un duro entrenamiento, no es de un día para otro.

Si quieres un cuerpo saludable, ¿verdad que tienes que alimentarte bien y llevar una serie de hábitos saludables?

Tu cuerpo no se transforma de la noche a la mañana, y tu mente tampoco.

Debes entrenar tu cuerpo y tu mente a diario.

Porque siempre te va a llevar a que reacciones de la misma forma en que lo has hecho en tu pasado. Así que si quieres disfrutar de una vida plena, tienes que pensar diferente.

Cuando te aparezcan pensamientos negativos, date cuenta en el momento y cámbialos por otros positivos, que te acerquen más hacia tus sueños.

Si por ejemplo quieres conseguir una relación de pareja exitosa y de repente aparece un pensamiento como "el amor no es lo que era", "todos son iguales", sustitúyelo por "el amor en la pareja existe y puede perdurar".

No puedes querer alcanzar algo en tu vida, si tus acciones y tus pensamientos no son coherentes, es decir, quieres compartir tu vida con un compañero/a de viaje, pero dices que el amor duele, y que estás muy bien solo.

Debes sentirte feliz solo, pero si eliges compartir tu vida con una persona, tienes que asociar placer a esa idea, no puedes recordar lo que alguna vez te dolió.

Igual ocurre con el dinero y con la salud, la clave está en sentirte abundante.

Tienes que reconocer que procedes de una Fuente ilimitada donde hay de todo para todos, pero tienes que actuar e ir a por lo que te pertenece.

No te quedes más tiempo parado, mirando hacia fuera.

Mira la vida desde dentro, desde el amor que eres.

Si sustituyes la queja, por amor en acción verás cómo tu vida cambia.

La vida siempre te ha reflejado tu interior.

No importa tu situación ahora, no importa cuánto hayas sufrido, tienes un poder en tu interior capaz de cambiarlo todo.

Eres luz, eres amor, viniste con todo cuando naciste, vuelve a reconectarte.

Empieza ya, ahora.

¿A qué voz vas a escuchar a partir de ahora? A tu Ego o a tu Amor.

Yo lo tengo claro, ¿y tú?

RECUERDA:

♡ Viniste siendo amor puro, no entendías nada de lo que pasara fuera cuando naciste, eras feliz, alegre y amoroso por naturaleza.

♡ Llegaste a este mundo brillando, solo conocías la voz de tu corazón, aún no sabías que más tarde nacería en tu mente otra voz mucho más ruidosa y molesta llamada EGO.

♡ Ha llegado el momento de deshacerte de tu disfraz de adulto, y de volver a irradiar esa luz que eres.

♡ La vida sin amor no puede existir.

♡ Cuando pones amor a todo lo que haces, y te conectas con el amor que eres, todo se transforma.

♡ Entrega amor a todo el mundo, y el mundo te responderá con más amor.

♡ *"Si algo no tiene solución, para qué preocuparte y si tiene solución, para qué preocuparte"*. Proverbio chino

♡ Hasta que tu corazón deje de latir, puedes transformar tu vida, puedes cumplir tus sueños.

♡ No dejes para mañana los sueños que puedas alcanzar hoy.

♡ Reconéctate con tu esencia, con tu verdadero amor, con tu niño o niña interior.

♡ Ilusiónate de nuevo, los sueños no están para soñarlos, están para cumplirlos.

♡ Empieza a cambiar la forma de pensar

♡ Tienes que reconocer que procedes de una Fuente ilimitada donde hay de todo para todos, pero tienes que actuar e ir a por lo que te pertenece.

♡ Mira la vida desde dentro, desde el amor que eres.

♡ ¿A qué voz vas a escuchar a partir de ahora? A tu Ego o a tu Amor.

LO QUE VERDADERAMENTE IMPORTA

"Trata de no resistir los cambios que vienen en tu camino.
En cambio, deja que la vida viva a través de ti.
Y no te preocupes porque tu vida se esté revolviendo.
¿Cómo sabes si el lado al que estás acostumbrado es mejor
que el que viene?

RUMI, CÉLEBRE POETA MÍSTICO MUSULMÁN.

Lo que verdaderamente importa en tu vida es aprender a amarte, aprender a enamorarte de ti mismo, aprender a valorarte, a no depender de la aprobación de los demás para ser feliz.

Desde pequeño sé que te han ido diciendo cómo debes hacer las cosas, cómo debes actuar, hasta cómo debes pensar, incluso te han encasillado con etiquetas de lo que podías o no hacer en tu vida, de lo que eras capaz de hacer.

A lo largo de las etapas de tu vida, otros han hablado muchas veces por ti, te has dejado llevar por los comentarios de los demás, y has tratado de agradar a muchas personas, desagradando a la persona más importante de tu vida, A TI.

No puedes dejar que las opiniones que tengan los demás de ti, te influyan más que la opinión que tú tienes de ti mismo.

Porque si haces esto le entregas la responsabilidad de tu felicidad a los demás, y dependes de su aplauso para sentirte feliz.

No es la otra persona la que te hace infeliz, o la que te hace sentir mal en algún momento, sino, eres tú el que has decidido darle más importancia a lo que el otro te ha dicho de ti mismo.

No se trata de que le caigas bien a todo el mundo, ni se trata de encajar en un grupo y tener que actuar siendo alguien totalmente diferente a lo que verdaderamente eres.

Cuando tratas de agradar a los demás porque necesitas su aprobación, le estás dando el poder de tu felicidad.

Claro que te gusta recibir aplausos y halagos, a todos nos gusta, pero no puedes convertirlo en una necesidad, porque tú no vas a gustar a todo el mundo, y tendrás que aprender siempre a vivir con esto, y sentirte feliz porque así lo decides y porque sabes lo que vales y has aprendido a amarte.

Cuando te enamoras de ti mismo, y haces lo que verdaderamente amas, muchas personas no lo van a entender, eso no tiene que importarte.

Tendrás que lidiar con la aprobación y la desaprobación constantemente, pero debes ser capaz de aceptar la situación, y enfocarte en lo que verdaderamente te haga feliz.

A menudo te enfadas, por lo que te ha dicho alguien que aprecias o que amas, o incluso, alguien externo a tu círculo, y cargas la culpa sobre el otro, sin saber, que solo tú tienes el poder de transformar esa situación y esa emoción que estás sintiendo. **Todo está dentro de ti.**

Podrás disfrutar de una vida plena cuando te ames tú primero y desde ahí puedas entregar tu amor a las demás personas sin esperar nada a cambio, sin depender de alguien más para ser feliz.

Podrás disfrutar de una vida plena cuando no te importen las opiniones de los demás, si lo que hagas, lo haces con amor, la vida te responderá con más amor.

Las personas que viven en el momento presente, son las que más disfrutan de la vida, porque ellas no se preocupan por el futuro, ni están recordando un pasado que dolió. Estas personas saben apreciar cada día de su vida, aunque su situación no sea la más favorable, han aprendido a agradecer lo que la vida les regala, y no centrarse en los problemas y la queja, sino en lo que ya tienen.

Las personas que viven desde el amor, han aprendido a valorar cada amanecer y cada atardecer y no se cansan nunca de verlo, pues es un hermoso regalo del Universo.

Desde el amor, sabes valorar tu vida y no te quejas por lo que haces, sino que aprecias la belleza en las cosas más simples, un paseo, saborear una taza de café o té, la brisa en una noche de verano, el cielo de una noche estrellada, la belleza inmensa del cielo, el canto de los pájaros.

Desde el amor, no te centras ya en lo material ni en lo que tienen las demás personas y que a ti te falta, porque ahora valoras lo que verdaderamente te hace sentir pleno, el amor hacia ti mismo y hacia todo lo que te rodea, dejando a un lado esa voz tan ruidosa y molesta del ego.

Vivir tu vida desde tu más puro amor, transforma cualquier situación diaria que se te pueda presentar, y lo que antes era un drama, ahora lo puedes cambiar y sentir calma y paz.

Puedes hacer la prueba cada vez que intentes reaccionar ante una situación desde tu ego, si ves que te vas a alterar, piensa: ¿qué soluciono poniéndome de esta manera?, NADA, sentirte peor aún si entras en cólera, porque se va a expandir esa emoción aún más. Si consigues ver todas las circunstancias que se te presenten en la vida con más calma, la circunstancias en sí cambiarán, y tú te sentirás aliviado.

No gastes tu energía en tratar de llevar la razón, ni en agradar a la otra persona para sentirte bien, ni estés pendiente de la vida de los demás.

Para que puedas vivir una vida plena, céntrate en lo que tienes dentro de ti, en mejorarte a ti mismo cada día, en enamorarte de ti mismo, para que puedas reflejar ese interior en todo lo que te rodea.

No es egoísmo, es saber amarte para poder amar, y expandir el amor de forma sana y sin dependencia, siendo feliz sin la aprobación de todo lo externo a ti.

Alégrate porque eres diferente, porque cada uno es único y brilla con luz propia.

Alégrate porque no te conformas con lo que te han dicho que era la vida y quién eras tú. **ERES UN SER DE LUZ TREMENDAMENTE VALIOSO Y PODEROSO.**

Disfruta de cada día de tu vida, agradece todo lo que la vida te regala y reparte AMOR por donde camines.

Bendice tu vida y bendice la vida de todos los demás, para que ellos puedan también encontrar su verdadero amor, puedan compartirlo y puedan disfrutar de una vida plena.

LA VIDA ESTÁ PARA AMARLA Y VIVIRLA, NO TE DISTRAIGAS.

EMPIEZA AHORA.

RECUERDA:

♡ Lo que verdaderamente importa en tu vida es aprender a amarte, aprender a enamorarte de ti mismo, aprender a valorarte, a no depender de la aprobación de los demás para ser feliz.

♡ No puedes dejar que las opiniones que tengan los demás de ti te influyan más que la opinión que tú tienes de ti mismo.

♡ Tendrás que lidiar con la aprobación y la desaprobación constantemente, pero debes ser capaz de aceptar la situación, y enfocarte en lo que verdaderamente te haga feliz.

♡ Podrás disfrutar de una vida plena cuando te ames tú primero y desde ahí puedas entregar tu amor a las demás personas sin esperar nada a cambio, sin depender de alguien más para ser feliz.

♡ Podrás disfrutar de una vida plena cuando no te importen las opiniones de los demás, si lo que hagas lo haces con amor, la vida te responderá con más amor.

♡ Las personas que viven en el momento presente, son las que más disfrutan de la vida.

♡ Vivir tu vida desde tu más puro amor, transforma cualquier situación diaria que se te pueda presentar

♡ Para que puedas vivir una vida plena, céntrate en lo que tienes dentro de ti, en mejorarte a ti mismo cada día, en enamorarte de ti mismo, para que puedas reflejar ese interior en todo lo que te rodea.

♡ ERES UN SER DE LUZ TREMENDAMENTE VALIOSO Y PODEROSO.

♡ LA VIDA ESTÁ PARA AMARLA Y VIVIRLA, NO TE DISTRAIGAS.

BENDICE TU VIDA Y LA DE TODOS

"Bendice a tu amigo, él te permite crecer".

BUDA

Ahora que estás aprendiendo cada día a ver tu vida desde tu corazón, y puedes ver cómo está cambiando la realidad de tu vida y de tus días, te voy a pedir un favor:

¡Ayúdame a expandir el amor por todos los rincones del mundo!

Todas las personas necesitamos en un momento dado de nuestras vidas, una mano amiga que te muestre el camino, que te inspire, que te ayude a dejar salir esa luz que todos tenemos dentro.

Te has transformado en una hermosa mariposa blanca, eres un Ser de Amor y Luz y con tus alitas vas a poder llevar todo este amor a las personas que lo necesiten.

CUANDO CONECTAS CON EL AMOR QUE ERES, LO VES REFLEJADO EN EL EXTERIOR.

Enamórate de ti de tal manera, que al mundo no le quede más remedio que amarte.

Tu vida cambia cuando tú te transformas.

Eres un ser bendecido y ahora tú podrás bendecir la vida de los demás, para que juntos creemos un mundo mejor.

Imagínate un mundo donde reinara el amor, la fuerza más poderosa que todo lo crea, todo lo puede y todo lo transforma.

El mundo nos reflejaría lo que cada uno de nosotros somos, AMOR.

Aporta tu granito de arena, no hay mayor felicidad que la contribución con el mundo.

Y cuando creas o sientas que te falta el aliento y creas que es tu final, recuerda:

"LA ORUGA LLAMA FIN DEL MUNDO, A LO QUE EL RESTO DEL MUNDO LLAMA MARIPOSA".

RICHARD BACH

Nada es el final, siempre puedes transformarte, siempre vuelves a RENACER.

Te pido un favor, ayúdame a expandir el amor por el mundo. Hazte una foto con este libro y súbela a tus redes sociales para que más personas puedan beneficiarse y disfrutar de una vida mejor.

Gracias por ser bendecido y bendecir la vida de los demás.

LAIN GARCÍA CALVO: MENTOR, AMIGO, MAESTRO

No puedo finalizar esta trilogía sin antes presentarte a la persona que hizo posible que me despertara y que viera la vida con otros ojos, los de la FE.

Hay un momento en la vida de todo el mundo en el que sientes que ya no puedes más, yo pasé también por ese momento.

Pisé fondo, me cuestioné mi vida y pedí que me enviaran alguna señal para poder seguir hacia delante.

Un día apareció ante mí, como por arte de magia, la saga de La voz de tu alma, y fue como un rayo de luz que iluminó mi camino.

La Voz de tu Alma, no es un libro para leer y colocar en la estantería.

Es una Biblia personal que te aconsejo que lleves contigo, pues contiene los principios que transformaron mi vida, y que cambiarán la tuya.

Gracias a Lain, hoy puedo compartir contigo mi trilogía, haciendo realidad mi sueño, y deseando que tú puedas hacer realidad los tuyos.

Para mí Lain, no es sólo mi mentor y su entrega diaria, lo han convertido en un gran amigo, y como yo le llamo mi Maestro.

Si tú también quieres dar un paso más y transformar tu vida, entra su web:

www.laingarciacalvo.com

COMPARTE Y COMENTA ESTA TRILOGÍA EN

 @mariatorresmoros

 María Torres Moros

 mariatorresmoros@hotmail.com

 www.mariatorresmoros.com

ESTOY DESEANDO CONOCER TU TESTIMONIO Y TUS LOGROS Y SOBRE TODO CONOCEROS A TODOS VOSOTROS

LUZ Y AMOR PARA TI

FELICIDADES POR TU TRANSFORMACIÓN

Amado lector, te felicito por haber llegado hasta el final de esta trilogía de mi mano.

Es un gran paso que hayas decidido viajar hacia tu interior, muy pocas personas se atreven a hacerlo, la mayoría viven en lo externo y están condicionadas por el exterior, sus vidas dependen de las circunstancias.

Ahora tú eres el responsable y creador de tu vida.

Ha llegado el momento de poner todos los conocimientos en práctica.

Para ello no es suficiente con leer una vez y dejar en la estantería, si deseas una transformación tienes que entrenar tu mente cada día, y pensar y actuar de forma diferente a como lo hacías en el pasado.

Como te dije este no es el final, te espero en los siguientes tomos, donde seguiré dándote mi mano para que puedas seguir transformándote y te sientas de cada vez más y más entusiasmado por la vida.

MILLONES DE GRACIAS POR ACOMPAÑARME EN ESTE VIAJE DONDE TUS SUEÑOS SE CUMPLEN.

TE AMO

LIBROS DE LA AUTORA

Puedes adquirirlos en:

www.mariatorresmoros.com

Made in the USA
Coppell, TX
04 November 2020